내 생애 봄날은 간다

지랄맞은 육아노트

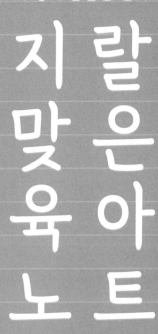

글 – 강미선
표지그림 – 고주아

엄마사랑해요♡ 감사합니다
저를 나아 주시고키워 주
셔서감사해요ㅗㅗ
엄마 사랑합니다

갱년기 vs 사춘기

늦은 나이에 아이를 낳아 갱년기와 사춘기를 동시에 맞게 된 엄마의 고군분투기를 적은 육아 노트입니다.

차 례 책소개   05

엄마 되기   13

책 속에 육아가 있다?!   14

모유 수유   15

100일의 기적   16

거울   17

돌잔치   18

둘째   19

두 번째 기적   20

두 아이 육아   21

책 육아   22

첫째의 초등입학   24

평일이 싫은 이유   25

애플망고   26

오줌   27

엄마 냄새   28

우리 아들   29

어버이날 편지   31

엄마가 내 약이야.   32

딸의 선물   33

아빠 담배   35

포켓몬 빵   36

햄스터   37

시   39

다이어트   41

피아노   42

포켓몬 빵의 늪 43

칭찬하는 법   44

쥐   45

나 없으면   46

오빠는 내 친구 47

둘째 아이의 첫 발치 48

우리 엄마, 아빠라서 49

부회장 선거   50

줄넘기   51

4 × 4 큐브   53

혼자 씻기   55

아빠 소개   56

안아줘   57

도시락   58

아빠 얼마만큼 사랑해?   59

월요병   60

딸의 고백   61

염색   63

씻기   65

딸의 편지   67

내 혀는 언제 길어졌을까?   69

마음이 부자   70

축구공이 있으면 어디든 놀이터   71

엄마 꼭 기다려!   73

엄마랑 출근   75

남매의 난   77

공주 싫어!   79

너의 꿈을 응원해!   80

속은 자상한 오빠   82

학교 가기 싫어   84

It's free!   86

축구   88

친구 90

오빠 자판기 91

아빠에게 92

갱년기 94

갱년기 육아 95

유튜버 96

애정 표현 98

흔한 남매 100

핸드폰 102

화이트데이 103

보톡스 104

유전자 검사 106

컵 107

선물 109

전생 110

나이 많은 엄마 111

남편 112

아들 둘, 딸 하나 113

손톱 114

수면 독립 116

질투쟁이 118

오빠 열남 119

걷기 121

긴 머리 122

반성 124

행복 125

유죄 126

잔소리 127

우산 129

영어 공부 130

딸이 있어야 하는 이유 131

아빠 vs 아들 132

선택 135

태권도 학원 136

누가 꽃이야? 137

밤양갱 138

한라도서관 140

유산 141

오늘도 안녕하신지요?　142

언제 이렇게 컸누?　143

대환장 파티　145

금연　147

홍삼　148

진심　150

변기 뚫는 엄마　153

강아지 키우면 좋은 점　155

갱년기 vs 사춘기　158

엄마 되기

결혼만 하면 엄마가 되는 줄 알았다.

남들은 그리 쉽게도 엄마가 되는데 나는 10년이나 걸렸다.

그 긴 시간 동안 정신적, 육체적 고통을 견디며 우리는 아이 없이 살아야 하는 운명이라고 생각했는데 어느 날 우리에게 기적이 일어났다.

그때는 이 아이가 너무나 소중해서 '평생, 이 순간을 잊지 말고 살자'라고 마음먹었으나, 역시 인생은 뜻대로 되지 않는다.

난 모든 걸 다 잊어버렸다.

책 속에 육아가 있다?!

나도 책대로 키워보려 했다. 하지만 책 속에 나온 아이는 내 아이가 아니었다. 아이들은 다 각자 다른 생명체다. 책대로 키우려다 둘 다 골로 갈 수도 있다는 걸 뼈저리게 느꼈다.

책은 책일 뿐 참고만 하면 된다.

아이와 나에게 맞는 나름의 육아법이 존재하니 책대로 안 된다고 너무 스트레스받지 말고 서로 맞춰가며 육아하자.

육아는 닥치는 대로!

모유 수유

10년 만에 얻은 아이라 귀하디귀했다. 그래서 내 아이만큼은 완모를 하겠노라 다짐하며 나의 모든 걸 포기했다.

하지만….

너무 힘들다. 아이를 두고 아무 데도 갈 수 없다. 아이의 밥때가 되면 난 어김없이 아이를 안고 젖을 물려야 했다. 난 젖소가 되었다. 이럴 줄 알았으면 분유도 같이 먹일 것을…. 내 결정에 후회 중이다.

조리원에서 분유를 먹으면 6시간 통잠도 자던 아인데 모유만 먹으니 수시로 깨서 나는 몹시 피곤하다.

분유를 먹여보려고 시도했지만 뱉어버렸다.

오로지 내 젖만 찾는다.

100일의 기적

100일의 기적은 있었다. 기쁨도 잠시.

통잠을 자서 나에게 밤 수면은 보장됐지만 깨어있는 시간이 많아 이제는 많이 놀아줘야 했다.

어떻게 놀아줘야 할지 몰라 인터넷을 뒤져 몇 개의 놀이를 찾아 반복 또 반복했다.

너무 지겨워~~~

잠 많이 잘 때는 좀 깨서 엄마 좀 봐줬으면 했는데 이제 너무 많이 깨어있어 그것 또한 힘들구나.

거울

아이를 키우면서 거울 볼 시간도 없었지만 보고 싶지도 않았다.

어쩌다 화장실 갔다가 손 씻을 때 고개를 들면 목이 다 늘어난 후줄근한 티셔츠를 입은 아줌마 한 명이 눈곱 가득 낀 채 서 있다. 씻지도 못해 번들번들한 얼굴엔 기미가 한가득. 으악, 엄마가 된다는 건 이런 것이었구나. 세상의 모든 엄마가 존경스러워 숙연해진다.

씻는 건 둘째치고 먹는 거라도 잘 먹고 싶은데 이 녀석은 엄마가 먹는 걸 귀신같이 알아채고 자기도 밥 달라고 아우성친다. 그래 겸상하자, 겸상해!

돌잔치

내게 이런 날이 올 줄은 몰랐다.

남의 돌잔치 가서 잿빛 얼굴로 앉아있다가 억지웃음을 지으며 축하를 전하고 집에 와서는 소주를 마시며 눈물을 한 바가지 흘렸다.

그런데 오늘은 내 아이의 돌잔치라니 너무 가슴이 벅차다.

첫 번째 생일 진심으로 축하해!

둘째

첫째가 어렵게 생겨 둘째 생각은 아예 없었다. 근데 첫째의 돌잔치가 끝나고 조금 여유가 생기니 딸 욕심이 생겼다.

둘째는 얼마나 걸릴지 짐작조차 할 수 없지만 더 늦으면 후회할 것 같았다.

친구들은 하나만 키우라고 둘은 힘들다며 나를 말렸다.

남편은 내가 하고 싶은 대로 하란다.

그래, 내가 하고 싶은 대로 하련다.

둘째 도전!

두 번째 기적

내가 그렇게 바라던 딸이 내게로 왔다.

기대하지 않았는데 둘째는 한방에 내게 와 주었다. 얼마나 고맙고 고마운 아이인지 보고만 있어도 눈물이 났다.

사람은 다 때가 있고, 기회가 있으면 결과가 어찌 됐든 포기하지 말아야 한다는 교훈을 얻었다.

이 아이와 앞으로 지낼 날들이 기대된다.

엄마 딸로 태어나 줘서 정말 고마워!

두 아이 육아

첫째를 키웠던 탓인지 둘째는 훨씬 수월했다. 잠투정 없이 잠도 잘 자고, 혼합수유를 해서 몸이 훨씬 자유로웠다.

둘째가 생기면 첫째가 안쓰럽다는데 그 말이 딱 맞았다. 첫째도 아직 아기인데 둘째를 돌보느라 신경 써주지 못해 많이 미안했다.

어떤 집은 질투 나서 동생을 해코지한다는데 다행히 우리 첫째는 동생을 이뻐했다. 그렇게 이뻐하던 동생인데 지금은 원수가 되었다. 파파라치가 되어 트집 잡을 게 없는지 서로의 일거수일투족을 관찰한다. 그 시간에 좀 더 생산적인 일을 하는 건 어떠니?

제발~

책 육아

남들이 책 육아가 좋다고 해서 나도 동참했다. 일 다니느라 피곤했지만 자기 전에는 꼭 책을 읽어주었다.

주말마다 도서관에 가서 책을 읽고, 수요일이면 8시까지 운영하는 꿈바당 도서관에서 문 닫는 시간까지 책을 읽고 집으로 돌아왔다.

혼자 둘 데리고 도서관에 가면 고충이 있었다. 둘이 읽고 싶은 책을 골라와서 먼저 읽어달라고 아우성쳤다. 한 권씩 돌아가면서 읽어주긴 했지만 성질 급한 아이들은 기다리기 힘들어했다. 남매라 그런지 책 취향도 너무 달랐다. 그러던 어느 날 기적 같은 일이 일어났다. 첫째가 5세 후반쯤 혼자서 책을 읽기 시작한 것이다. 다들 그렇겠지만 나 또한 우리 아이가 천재인 줄 알았다. 그 이후로는 둘째의 책만 읽어줄 수 있어서 너무 편했다. 이렇게 책을 좋아하던 아이들이었는데 그놈의 코로나가 우리 아이들을 망쳤다.

코로나 이후 집에 있는 시간이 많아지자, 미디어를 접하는 횟수가 많아지고 점점 늘어 이젠 돌이킬 수 없는 지경에 이르렀다.

코로나 이후 다시 책 육아를 하고 싶었지만 이미 아이들은 도서관을 싫어하게 되었다.

도서관 말고 다른 곳에 가자고 해도 아들은 집에 있고 싶어 했다. 겨우 설득해 나가봐도 좋은 기색도 없고 오히려 다른 가족들 기분까지 엉망으로 만드는 재주가 있어서 이제는 아들의 선택을 존중하기로 했다.

나의 책 육아는 이렇게 허무하게 끝나버렸다. 둘 다 돈 안 들이고 스스로 한글 뗀 걸로 만족하자.

첫째의 초등입학

코로나 때문에 입학식도 제대로 치르지 못했다. 남들처럼 시끌벅적한 입학식을 하는 게 내 버킷리스트 중 하나였는데 산산이 부서졌다. 할머니, 할아버지, 이모, 삼촌, 고모 등등 다들 불러 모아 10년 만에 낳은 내 새끼 입학식을 성대히 치르고 싶었는데 마음이 아팠다.

조그마한 아이가 자기만큼 큰 가방을 메고 등원하는 뒷모습을 보니 코끝이 찡했다. 벌써 이렇게 커 버렸다. 시간이 생각보다 더 빠르게 가서 아쉽고 또 아쉽다.

평일이 싫은 이유

일요일 저녁, 자기 전에 아들이 갑자기

"난 평일 싫어"!

한다. 속으로 '나도 싫은데'라고 생각하며

"왜?"

라고, 물으니

"엄마, 아빠 많이 못 보잖아!"

라고, 대답했다.

TV 보고 싶어서, 놀고 싶어서, 공부하기 싫어서가 아니라 엄마, 아빠랑 같이 있고 싶다는 아들. 이런 반전이!!!

아들 고마워~ 사랑해!

애플망고

어린이날을 기념하여 비싼 제주산 애플망고를 주문했다. 통장에 잔액도 얼마 없으면서 내가 무슨 짓을….

어제 도착해서 아이들 주었더니 계속 또~또~

이게 하나에 얼마짜리인데 엄마 아빠는 맛도 못 보고 다 너희들 입에 들어가는구나

두세 개 흡입한 아이들에게 오늘은 그만! 아껴먹자고 하니 실망한 표정.

어버이날 부모님 입에도 넣어드리고 싶은데 그때까지 남아 있을지….

망고 씨에 살짝 붙어있는 살점을 떼어먹으려 하니 아들은 그 씨마저 자기가 먹겠다고 난리다. 씨까지 다 내어주는 엄마, 나 정상 맞죠?

오줌

실수를 그다지 하지 않는 딸이 하필이면 오늘, 비 오는 날 침대에 오줌쌌다. 욱했지만 잘 참았다. 스스로 다독이며 겨우 꾹꾹 눌렀는데 평소에는 골라준 옷도 잘 안 입는 아이가 오늘따라 옷을 골라달라고 징징대기 시작했다. 골라줬다니 싫단다. 다시 골라 달란다. 또 싫단다. 엄마는 터졌다. 큰 소리를 내고야 말았다. 미안하다고 계속 우는 딸. 우는 소리가 듣기 싫어 그만 울라고 얘기해도 계속 미안하다고 울었다. 내 마음은 이미 폭발할 대로 폭발해서 시간이 필요했다. 우는 딸을 두고 방으로 들어갔다. 심호흡했다. 내가 너무 심하게 군 것 같아 미안한 생각에 다시 밖으로 나갔다. 어린이집 가기 전에 딸을 꼭 껴안으며 화내서 미안하다고 말하고, 어린이집에 데려다주었다.

비가 더 세차게 내렸다. 빨래 어떡하나?

엄마 냄새

세상에서 엄마 냄새가 제일 좋다는 아이들~~~

킁킁, 나한테서 무슨 냄새가 나지???

언제까지 엄마 냄새가 좋다고 해 줄까?

시간은 생각보다 훨씬 빨리 가는 것 같다.

언제까지나 그 마음 변치 않길~

오늘도 어제보다 더 사랑해♡ ♡ ♡

우리 아들

욕심 많고 지기 싫어하는 아들.

매일 집에서 러닝과 팬티 바람으로 지낸다.

요즘 학교 탁구부 클럽에 가입하여 한창 탁구에 빠져있다. 공을 천장에 매달고 집중해서 치는 연습을 매일 하는 중이다.

　얼마 전까지만 해도 과학자가 꿈이라더니 이제는 탁구선수가 되는 게 꿈이란다.

　너의 꿈이 무엇이든 엄마, 아빠는 너를 응원해! 정말 진짜로 건강하게만 잘 자라다오~

　지금, 이 순간 행복하면 된 거야~~~

　사랑해 아들♡♡♡

　엄마, 아빠에게 와줘서 정말 고마워!!!

어버이날 편지

그 약속 다 어디 간 거야?

엄마가 내 약이야.

동생이랑 장난치다가 다리에 상처가 나서

아프다고 우는 아들.

약 바르자니 싫단다.

한참 울다가

"엄마, 안아줘~엄마가 내 약이야."

말없이 한참을 꼭 안아주었다.

딸의 선물

난 매일 선물 받는 엄마다.

딸은 매일 종이에 그림을 그리고 글자를 적어 엄마 선물이라며 내민다.

처음 받을 때는 감동이었지만 이젠 너무 식상해서 몰래 버렸지만, 오늘 선물은 왠지 버리고 싶지 않았다.

나를 공주라고 불러주는 유일한 사람.

40살 넘어 낳은 딸이라 엄마 얼굴에 주름이 가득한데도 엄마가 세상에서 제일 예쁘다고 말해주는 사랑스러운 아이.

혼자서 한글 깨친 것도 고마운데 이렇게 매일 하루에도 몇 번씩 내게 선물을 준다.

주아야~

네가 진짜 내 선물이고 보물이야!

무한랑해. 셀 수 없을 정도로 많이! (딸의 표현 방식)

아빠 담배

주아가 아빠를 찾았다.

아빠는 아이들 몰래 담배 피우기 위해 밖으로 나갔다.

"엄마 나 사실은 아빠 담배 피우는 거 안다. 근데 아빠가 속상할까 봐 모르는 척하는 거야"

연초에 담배를 끊겠다고 아이들과 약속했는데 아빠는 지키지 못했다.

미안해하는 아빠의 마음을 이해하는 딸아이가 너무 사랑스럽다.

포켓몬 빵

포켓몬 빵의 인기가 어마어마하다.

뮤나 피카츄를 간절히 기다리는 아들.

시간이 날 때마다 이마트 앞에 줄을 서서 사 왔지만. 시간 낭비, 돈 낭비라는 생각에 더 이상 가기가 싫어졌다.

외할머니, 외할아버지는 손자가 좋아한다며 새벽부터 나가서 한 시간이고 두 시간이고 줄을 섰다. 그 덕에 집에 띠부실이 한가득했다.

언제까지 해야 아들이 단념할 것인가?

뮤나 피카츄가 나오면?

햄스터

어제 오일장서 데려왔다.

오랜만에 오일장을 갔는데 햄스터에게서 눈을 떼지 못하는 우리 집 남매~

전에 장수풍뎅이, 사슴벌레, 금붕어, 달팽이, 심지어 개미까지 키워

봤지만 금방 죽고. 처음엔 관심 보이다가 며칠 지나면 시들해지는 너희들을 알기에 안 데려오고 싶었으나

내가 졌다!

들고 오는 차 안에서 신이 나서 종알종알 재잘재잘. 호빵이라는 이름도 지어주었다. 딸내미는 동생 생겼다고 좋단다. 제발 그 관심 좀 오래가자!!!

시

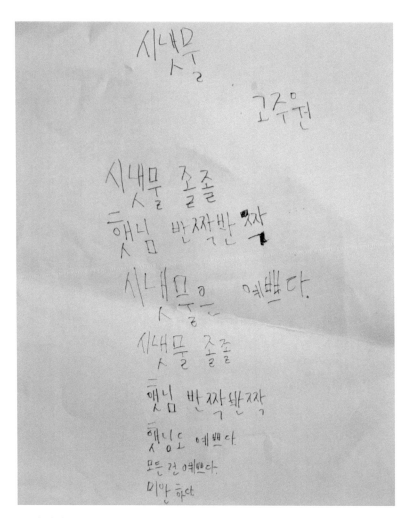

마지막에 미안하다는 의미는 이제껏 너희들이 예쁘다는 걸 몰라봐

서란다.

오빠 시 쓰는 거 보고 옆에서 끼적인 딸. 오빠처럼 칭찬받고 싶었단다. 오빠가 마지막에 미안하다고 쓰니 따라 쓴듯한데. 의미를 물어보니 처음에 오일장서 햄스터 데리고 올 때 물고 할퀴어서 나쁘다고 생각해서 미안했단다.

햄스터야

햄스터야,

사랑하다

우리들 자

햄스터야,

햄스터야

고맙다,

미안하다

다이어트

이제 7세가 된 딸은 6세부터 엄마 살 빼라고 들들 볶아댔다.

"엄마, 운동하는 거 맞아? 운동 좀 해."

"엄마 운동 열심히 하고 있어."

"무슨 운동?"

"숨쉬기 운동~"

그러자 딸이 하는 말,

"엄마!!! 그럼, 코만 살 빠지잖아~~~"

웃음 폭탄이 터졌다. 엄마에게 큰 웃음 주는 딸이 정말 고맙고 사랑스럽다.

"올해는 진짜 열심히 운동할게~"

날씬해진 내 모습을 상상하며 생각은 현실이 된다. 끌어당김의 법칙. 믿습니다! 아자 아자!

피아노

이제 피아노 다닌 지 한 달쯤 됐다. 그것마저도 적응하느라 몇 번 빠지고 끝까지 학원을 잘 다닐 수 있을지 걱정이다.

학원 다니기 전부터 피아노 사달라고 노래했지만, 학원 다니는 아이가 불안불안해서 선뜻 사주기가 어려웠다.

아이와 학원 잘 다니기로 약속하고 고민 끝에 피아노를 구매했다.

훌륭한 연주는 아니지만, 아침부터 피아노 소리가 나니 좋다.

아들은 일어나자마자 TV! 한 소리 하고 싶었지만 주말 아침 평화를 위해 참았다.

어찌 키워야 할지 매일 고민이다. 해결책은 없고, 고민만 하다 육아가 끝이 날 듯하다.

포켓몬 빵의 늪

이마트 월수금 인당 3개, 지난주랑 빵이 달라졌다. 이제 좀 빵이 풀렸는지 종류도 다양해졌다. 어째 아들보다 엄마가 더 중독된 것 같다.

뮤나 뮤츠가 나오면 TV도 안 보고, 공부도 열심히 하겠다는 아들! 확률이 적은 걸 알고 이 애미를 놀려먹는 건 아닌지.

제발 좀 나와라~~~

어제는 갖고 싶던 피카츄 띠부실이 나와 아들 입이 찢어졌다.

이놈의 띠부실은 중복이 왜 이리 많은 건지, 대체 얼마를 투자해야 하는 원하는 띠부실을 얻을 수 있을까?

이 늪에서 빨리 빠져나와야 하는데 매일 허우적거리고 있다.

뮤야! 뮤츠야! 제발 나와라!

칭찬하는 법

유치원에서 돌아온 딸이 가방에서 만들기를 꺼내며, 내게 보여 주었다.

"엄마, 나 잘했지?"

"응, 잘했네."

"엄마 그게 다야? 엄마는 내가 물어보면 맨날 '응'만 하고…."

생각해 보니 내가 그랬다. 하도 자주 가져와서 물어보고 식상해서 영혼 없이 대답했다. 심지어는 작품을 보지도 않고 이야기한 적도 있다.

육아서에서는 결과보다는 아이가 만드느라 수고했던 과정을 칭찬해 주는 게 좋다고 했는데 무심한 엄마는 형식적인 대답으로 아이의 기분을 망치고 있었다.

노력하자! 과정을 칭찬하자!

우리 아이의 수고를 생각하자!

쥐

"엄마, 나 발에 쥐~"

아들이 눈뜨자마자 애타게 부른다.

"엄마, 발 주물러 줘."

"시간 지나면 괜찮아져~시간이 약이야."

"엄마! 얼른 와서 야옹~야옹~해줘~고양이가 쥐 잡게!"

나 없으면

"엄마, 나 없으면 살 수 있어?"

길을 걷던 딸이 갑자기 물었다.

"아니 못 살지~"

"왜 못 살아?"

"너무 슬프고 속상해서. 그건 왜 물어?"

"나도 엄마 없으면 슬퍼. 엄마가 이 세상에서 제일 좋으니까."

나만 믿고 세상에 온 아이, 나는 가끔 그걸 잊어버린다.

내가 힘들다는 이유로, 바쁘다는 핑계로 아이에게 짜증을 내고 기다리라고 강요한다.

육아서를 읽을 땐 고개를 끄덕이며 실천하리라 다짐하지만 그때뿐이다.

나만 믿고 세상에 온 아이라는 걸 잊지 말자! 사랑해♡ 내일은 더 사랑할게♡

엄마 딸로 태어나줘서 고마워!

오빠는 내 친구

"엄마, 엄마가 왜 오빠를 나보다 먼저 낳았는지 이제야 알겠어.

나 심심할까 봐 그런 거지?

엄마 아빠는 나 심심하면 어떻게 해야 할지 모르니까."

그렇게 동생과 잘 놀아주던 다정한 오빠였는데 지금은 그 모습 다
어디 간 거야?

둘째 아이의 첫 발치

"엄마, 이 언제 빠져? 친구들은 다 빠졌는데. 나도 빨리 빠졌으면 좋겠다."

몇 주 전부터 매일 이 얘기를 하더니 드디어 아랫니가 흔들리기 시작했다.

아직 때가 아닌 거 같아 기다리고 있는데, 그 옆 이도 같이 흔들렸다.

첫째 아이는 어찌해야 할지 몰라 첫 이는 치과 가서 발치하고, 그다음부터는 집에서 이를 뽑았다.

그 경험이 있어 둘째는 집에서 치실을 이용해 두 개의 아랫니를 뽑았다.

피가 철철 나는데도 이가 빠졌다며 좋다고 웃는다.

우리 엄마, 아빠라서

나도 우리 딸이라서 고맙고, 행복해요.

부회장 선거

어제 갑자기 아들이 다음번엔 부회장 선거에 나가겠단다.

2학년인 아들은 이제껏 회장, 부회장 선거에 관심이 없었다. 나와 남편은 그런 아들이 내심 선거에 관심 가지기를 바랐지만, 아들에게 나가보라고 권하지는 않았다. 근데 갑자기 출마 의사를 밝혔다.

근데 왜 하필 회장이 아닌 부회장일까?

남편과 나는 서로 쳐다보며 의문의 눈빛 교환을 했지만, 이유를 묻지는 않았다.

그냥 아들이 뭔가 새로운 일에 도전한다는 자체가 부모로서 뿌듯했다.

혹시 떨어져도 상처받지 않길 바라며 좋은 경험이 되길 바란다.

줄넘기

딸이 유치원에서 줄넘기 대회가 있단다.

오빠는 탁구 연습하고, 딸은 줄넘기한다.

줄을 넘는 모습이 뭔가 불안하다.

겨우 하나 두 개를 넘고 눈물을 보인다.

"엄마, 나 줄넘기 처음 볼 때는 그냥 하면 잘 될 줄 알았어. 근데 그게 아니었어. 친구들은 엄청나게 잘하던데 난 왜 안 되지?"

"친구는 엄청나게 연습한 거 아닐까? 주아도 연습하면 잘할 수 있을 거야!"

딸이 하는 모습을 보니, 아들이 줄넘기 연습하던 때가 생각난다.

처음엔 천천히 하나 두 개도 힘겨워했는데 어느 순간 200개를 넘겼다.

정말 거의 매일 울면서 연습했던 기억이 난다. 누가 하라고 강요한 것도 아닌데 혼자 씩씩거리며 잘도 고비를 이겨냈다.

이번엔 딸이 고비다.

줄넘기 대회를 하는 날 안 가고 싶단다.

지금부터 연습하면 잘될 거라고 걱정하지 말라고 다독였다.

내가 자꾸 자세 지적을 하니 더 안 되는 거 같아 주아가 하고 싶은 대로 해보라고 하니 5개를 넘기고 잠시 후에 최고 기록이 14개가 되었다. 좋아서 입이 헤벌쭉~ 딸이 자기 몸을 칭찬했다.

"손아, 잘했어. 발아, 잘했어. 팔도 다리도 엉덩이도 다 잘했어."

그 모습에 반성하는 나. 난 왜 내 몸을 저리 잘했다고 칭찬해 준 적이 없는지. 오늘은 딸에게 한 수 배웠다.

내 몸! 40년 넘도록 수고했어! 사랑해! 앞으로도 잘 부탁해!

100세까지 가즈아!!!

4×4 큐브

어제부터 이 녀석이 말썽이다. 부품 하나가 떨어져 나가 분리해서 다시 조립해야 한단다.

벌써 서너 번째 조립했지만, 부품이 계속 남는다.

보다 못한 내가 학교 방과 후 선생님께 부탁하라고 해도 요지부동이다.

다시 해체. 내게 나사를 푸는 걸 도와달란다. 이미 나사 부분이 다 닳아서 드라이버가 말을 듣지 않는다. 있는 힘껏 돌리다가 그만 맞춰 놓은 조각들이 사방으로 흩어져 버렸다.

엄마 때문이라며 씩씩거리는 아들! 다시 조립! 엄마가 미안하다고 밤이 늦었으니 자고 일어나 내일 하자고 해도 대답이 없다.

결국 난 먼저 잠을 자러 방에 들어갔고, 한참 후에 아들이 울면서 들어와 잠이 들었다.

다음날 일어나자마자 큐브 조립 시작!

너란 아이, 참 대단하다.

엄마는 진작에 포기했을 텐데.

이걸 칭찬해야 하는 건지, 말려야 하는 건지.

나사가 풀리지 않자, 눈에 눈물이 고이고, 짜증의 화살은 엄마에게 날아왔다.

학교도 안 가겠단다.

한참을 조립하더니 드디어 완성!

너란 아이, 참 집요하고, 대단하다.

그래도 등교 전에 성공해서 다행이다.

과정에 대해 칭찬하려고 어울리는 말을 찾았지만, 떠오르지 않았다.

평화롭게 등원해서 다행이다.

혼자 씻기

딸이 언니니까 오늘부터는 혼자 씻겠단다.

머리카락이 길어서 머리 감는 게 제일 걱정되지만 두고 보기로 했다.

다 씻고 나온 뒷머리에 샴푸 거품이 잔뜩 묻었다. 머리 말리는 걸 도와준다니 그것도 혼자 하겠단다.

오빠는 머리가 짧아서 그때쯤 혼자도 잘했는데, 둘뿐이지만 막내는 막내인지라 항상 걱정이 앞선다.

그래도 그 덕에 엄마 시간이 많아져서 기분이 좋다. 많이 컸네. 우리 딸~

이름: 고명배♡

특징 나를 좋아한다

마음 따뜻하다

모습 안경을 쓰셨다

웃을때 좋아하는건 매를들려 수염 짓는다

자 주먹는것 막걸리

좋귀여워 하는것 호빵이

제일좋아하는것 우리가족

안아줘

화장실 문이 벌컥 열린다.

"엄마 안아줘."

"엄마 쉬 다하고 나서~ 주아 이제 많이 커서 엄마가 안아주기 힘든데~"

물 내리는 소리와 동시에 화장실에 들어온 아이.

"그럼, 100초만 안아줘!"

"1, 2, 3, 4, 5, 6, 7, 8, 9, 11…20, 21, 22, 23, 24, 25, 26, 27, 28, 30…59 담에 뭐지?"

"몰라!"

팔이 아파 중간중간 숫자를 빼고 빠르게 수를 셌다. 다음 숫자를 모른다고 해서 속으로 신이 나 또 몰래 수를 넘어 세려 했으나 딸의 산수 공부를 위해 친절히 100까지 수를 셌다. 아이를 안고 있으니 아기띠 했던 시절이 떠오른다. 어느새 이만큼 커버렸다.

나는 늙고 아이들은 커간다.

도시락

코로나 때문에 현장학습을 가지 않아 도시락 쌀 일이 없다가 오랜만에 현장학습을 간다고 해서 발등에 불이 떨어졌다.

금손이 아닌지라 내심 걱정했는데 아들이 엄지 척이란다. 친구들도 엄마 최고라며 엄지 엄지척을 날렸단다. 피카츄 얼굴 하나가 내 체면을 살렸다.

아빠 얼마만큼 사랑해?

아침에 일어난 딸의 뜬금없는 질문.

'딸아! 우리는 의리로 산단다'

속으로 혼자 외쳐본다.

그러나 그리 말할 수도 없을뿐더러 7세 딸이 이해할 리가 없다.

"주아만큼 사랑하지."

"근데 왜 자꾸 화내?"

순간 뜨끔했다.

"그건 아빠가 말 안 들으니까 그렇지."

위기를 가까스로 넘겼지만 나를 반성하게 했다.

아이 아빠에게는 항상 뭔가 불만 가득한 말투로 대한 것 같다.

연애할 땐 달콤하게 때로는 애교 있게 말하던 내가, 의리로 산 지 오래다 보니 그냥 너무 편하다 못해 막 대하는 건 아닌지.

말투 교정! 부모는 아이들의 거울!

월요병

딸아이는 월요일마다 울면서 유치원에 간다.

너도 월요병이구나!

내일부터 일주일 동안 방학이라 다음 주 월요일엔 엄청난 쓰나미가 밀려오겠구나.

딸이 기쁘게 유치원 가기를 바라지만, 나 또한 월요일이 힘들어서 강요하진 못하겠다.

울면서라도 제발 가주기를 바랄 뿐.

툭하면 안 간다고 해서 이 애미는 힘들다~

딸의 고백

아침에 일어나 머리가 어지럽단다.

평소에도 유치원 가기 싫다고 꾀병을 부릴 때가 많아 대수롭지 않게 생각했다.

"어디가 어떻게 아파?"

"머릿속이 빙글빙글 돌아."

배 아프다고 한 적은 많은데 머리가 아프다고 하니 조금 걱정이 되었다.

머리에 손을 대보니 열이 있는 것 같았다.

"많이 아파?"

"응. 근데 유치원 안 가진 않을 거야."

그 말을 듣는 순간 안심이 되었다.

속으로 보내야 하나, 말아야 하나, 누구한테 맡겨야 하나, 엄청나게 고민 중이었다.

그리고 내게 다가오더니,

"엄마, 내 걱정해 줘서 고마워"

한다. 느닷없는 고백에 멍하고 있는데

"세상에서 엄마 제일 사랑해. 셀 수 없을 정도로 많이!"

하며 두 번째 고백을 했다.

"나도 우리 딸 제일 사랑해."

평소에 사랑한다는 말에 인색한 엄마라 먼저 고백해 주는 딸이 고맙고, 사랑스럽다!

염색

10시가 다 된 시간, 이제 자려는데 책 읽고 싶다는 딸. 피곤했지만 세 권만 읽기로 했다. 다 읽고 자려는데 갑자기 염색하고 싶단다.

안 그래도 올해 초에 하도 졸라서, 브리지 약으로 아주 살짝 몇 가닥만 해주었다.

고지식한 엄마가 큰맘 먹고 해준 사실을 아는지 모르는지 이번에는 전체적으로 염색하고 싶다고 했다.

누구누구 친구 이름을 대며 자기도 하고 싶다고 난리다.

솔직히 해주고 싶은 마음은 없었지만, 오늘만 넘겨보자는 생각으로 1학년이 되면 해주겠다고 하니 크리스마스 선물로 해 달란다. 너무 피곤해서 일단 알았다고 잠자자고 하니, 징징거리기 시작했다.

분명 자기 입으로 크리스마스 때 해달라고 했으면서 좀 더 빨리하면 안 되냐고 생떼를 부렸다. 속으로 잠투정인가 하며 크리스마스 때 해준다고 하니 발버둥을 치며 빨리~빨리~를 외쳤다.

옆에서 자던 남편이 시끄럽다고 나가서 울라고 소리쳤다. 잘 달래던

나도 이불을 박차고 나와버렸다

　쪼르르 따라 나오는 딸.

　"엄마가 해준다고 했잖아! 그럼 기다려야지! 그리고 염색한 친구가 더 많아? 안 한 친구가 더 많아? 안 한 친구가 더 많잖아! 어른 되면 네 맘대로 염색해!"

　화가 나서 큰 소리로 말해버렸다.

　'그랬구나! 염색하고 싶었구나! 그런데 딸~염색은 몸에 좋지도 않고 학생 때는 안 하는 거야! 나중에 주아가 어른 되면 맘껏 할 수 있으니까, 그때까지만 우리 기다려 보는 건 어때?'

　난 왜 오은영 박사님처럼 못하는 걸까?

　이럴 땐 오은영 박사님이랑 같이 살고 싶다.

　애들이 어려서 자주 아플 땐 소아과의사랑 살고 싶더니. 이제 앞으로 우리 집에서 같이 살고 싶은 사람이 점점 늘어날 것 같다.

씻기

언제는 혼자 하겠다더니 요즘은 씻기 싫다는 딸아이. 날씨가 추워져서 그런가 보다.

그래서 일주일에 두 번, 수요일과 일요일에 씻기로 약속을 정했다.

오늘 씻는 날이라고 하니 대뜸

"엄마, 씻으면 뭐 해 줄 건데?"

라고, 묻는 아이. 내 속에선 '이게 뭐래? 약속한 건데' 하며 화가 치밀었지만, 오늘은 참자, 내가 참아보자, 다짐하고, 기분 좋게 씻겨 보자 마음먹었다.

'이 아이가 오늘은 뭘 하고 싶어서 저러나?

사고 싶은 게 있나? 나랑 인형 놀이 하고 싶어서? 보드게임 하자고 하려나? 10시 다 돼서 피곤한데'

"엄마가 뭐 해줄까?"

"음~책 읽어줘!"

"늦었으니까 세 권!"

"다섯 권."

"세 권!"

"아니~다섯 권! 그럼 나 안 씻어!"

사실 속으로 책 읽어달라고 하니 '앗싸' 하며 쾌재를 불렀다. 놀아주는 것보다 책 읽어주는 게 훨씬 쉬웠으니까.

책 수를 줄여보려 했으나 협상 결렬.

맨날 진다. 아니 져준다.

매일 아이의 말을 들어줄 거면서 자꾸 책 숫자를 줄여본다. 조금이라도 빨리 자고 싶은 마음에 혹시나 하지만 역시나 오늘도 먹히지 않는다.

샤워실 안 수증기가 가득하다. 유리 벽에 손가락으로 글씨를 쓰며 엄마에게 읽어보라는 아이. '사랑해'라고 쓰여있었다. '나도'라고 쓰고 크게 하트를 그려주니 그 안에 또다시 '고마워' 글씨를 쓰는 아이.

엄마의 사랑한다는 말을 고맙다고 여기는 예쁜 내 아이~

딸의 편지

편지를 자주 쓰는 일곱 살.

요즘엔 울지 않고 유치원 가줘서 너무 좋다.

사랑한다는 말도 고맙다는 말도 먼저 해줘서 너무 사랑스럽고 고맙다.

거기다 뽀뽀 서비스까지!

이 맛에 딸 키우는 건가?

요즘 딸이 나를 웃게 한다.

내 혀는 언제 길어졌을까?

아기를 낳으면서 짧아진 내 혀!

배고팠쪄? 아팠쪄? 쉬했쪄?

내 혀는 나도 모르게 짧아져 있었다.

그러나 언제부터였을까?

아이들이 네 살? 다섯 살?

엄마한테 싫어! 안 해! 고집을 부리기 시작할 때쯤 내 혀는 길어지기 시작했다.

순하디순한 그저 보기만 해도 귀여웠던 그 시절 아이들은 말하기 시작하고, 자기주장이 뚜렷해지면서 무서운 반항아로 변하기 시작했다. 그때부터 내 혀는 돌변했고, 혀짧은 소리는커녕 어르고 달래고 안되면 협박까지! 무서운 긴 혀로 변했다!

역시 아이들은 잘 때가 제일 이쁘다.

마음이 부자

주변에 유산을 상속받은 지인의 집을 지나가면서 나도 모르게

"주현이는 좋겠다. 부자라서~"

라는 말을 내뱉었다. 요즘 돈 나갈 일이 많아 텅 빈 통장 생각에 나도 모르게 부러움을 티 냈다. 그때 옆에 있던 딸이,

"엄마, 괜찮아. 우린 마음이 부자잖아! 마음이 부자인 게 더 좋은 거잖아."

그 말을 듣는 순간 내 몸이 구운 오징어처럼 쭈그러들었다. 우리 딸이 그리 생각하고 있다니 내 마음은 기쁨으로 차올랐다.

"그렇지? 마음 부자가 진짜 부자야."

"응! 내 맘속에 돈 아주 많아!"

아직 돈의 가치를 잘 알지 못하는 7살이지만 평생 이런 마음으로 살아주길~

그래도 커서 돈 많이 벌기!

축구공이 있으면 어디든 놀이터

카타르 월드컵 이후 축구에 빠져버린 아들.

축구공이 있으면 어디든 놀이터란다.

어릴 땐 책 읽기도 좋아했는데, 이젠 책은 거들떠보지도 않는다.

텔레비전도 축구, 인터넷 검색도 축구, 오로지 머릿속에 축구로만
가득 찬 아이.

이것도 한 때겠지.

3세 무렵엔 자동차

4세 무렵엔 공룡

5세 무렵엔 곤충

6세, 7세엔 태권도

8세 때는 탁구

지금은 축구.

앞으로 무엇에 빠져들며 살지 걱정 반 기대 반이다.

건강한 것이 최고라고 믿지만 책도 좀 읽고 공부도 좀 했으면 하는

게 엄마 욕심인데 욕심은 욕심으로 끝날 듯하다.

그래, 건강하게만 자라다오!

엄마 꼭 기다려!

엄마 죽으면 자기 어떡하냐고 말하는 아이.

엄마랑 같이 죽겠다는 아이.

아직 죽음에 대해 잘 알지도 못하는 아이가 이런 말을 하니 좀 의외였다.

엄마가 먼저 왔으니 먼저 가서 기다리겠다고 하니, 꼭 기다리라고 몇 번이나 얘기한다.

엄마가 예쁜 이층집 짓고 기다리겠다고 하니 강아지도 한 마리 꼭 사두란다. 이층 단독 주택에 강아지 키우는 게 소원이란다.

강아지가 키우고 싶다는데 엄마는 이런저런 사정 때문에 해줄 수가 없어 마음이 아프다.

엄마가 먼저 가서 주아가 좋아하는 이층집이랑 수영장 만들고 정원에 예쁜 꽃도 잔뜩 심고 귀여운 강아지도 키우고 있을 테니, 천천히 아주 천천히 와~

결혼해서 12년 만에 낳은 딸아이.

조금 더 일찍 만났다면 조금 더 많은 시간을 함께 보낼 수 있었을 텐데 다른 엄마보다 나이가 많은 걸 알기에 함께할 시간이 적다고 생각한다.

엄마가 많이 노력할게!

사랑해!

엄마랑 출근

남편이 서귀포로 발령이 나서 아침 일찍 나가고, 요즘은 야근 덕에 아빠 얼굴 보기가 더 힘들어졌다.

눈이 많이 오던 날, 연가를 쓰고 집에 있으려고 했는데 상황이 좋지 않아 출근하게 되었다.

근데 이 딸이 문제다.

아들은 학교 안 간다고 신이 났다. 그런데 딸은 엄마가 같이 있을 줄 알고 좋아했는데 출근해야 한다고 하니 난리가 났다.

나도 데리고 가라며 눈물 바람과 함께 발버둥을 쳤다.

엄마가 같이 있을 거란 믿음이 깨지는 순간, 마음의 평화가 깨진 것이다.

안 그래도 엄마바라기인데 예측하지 못한 상황에서 매몰차게 딸을 두고 가려니 마음이 쓰였다.

회사에 전화하고 상황을 설명했지만 딱히 반기는 분위기는 아니었다. 나도 충분히 이해한다. 안되더라도 얘기해 보고 싶었다.

다행히 데리고 와도 좋다고 해서 딸도 나도 마음의 평화가 찾아왔다.

엄마가 일하는 곳이 어떤 곳인지 궁금해하던 아이는 마냥 신이 나서 스스로 챙기기 시작했다. 평소 같으면 챙기라고 10번은 이야기해야 겨우 챙기는데….

눈이 많이 와서 차는 포기하고 버스를 타기로 했다. 엄마는 이미 출근 시간이 많이 지난 후라 마음이 조급했지만, 딸은 눈을 즐기며 천천히 발을 옮겼다.

엄마 속도 모르는 철부지 따님.

얼마 만에 타보는 버스인가. 딸도 나도 신이 났다. 창밖으로 내리는 눈이 너무 예쁘다. 이대로 계속 끝까지 어디든 가고 싶다.

남매의 난

출근길에 전화가 왔다.

"엄마, 오빠가 때렸어."

"뭐라고 했는데?"

"뭐라고 안 했어."

"오빠 바꿔봐. 동생 왜 때렸어?"

"말투가 기분 나쁘잖아. 소리 지르고."

"그래도 때리면 안 되지. 말로 하라니까 말로!"

"싫어. 내가 왜?"

속이 뒤집힌다. 아들은 커갈수록 엄마 말에 대꾸하고 자꾸 덤빈다.

꼴에 남자라고 힘자랑이라도 하고 싶을 건지 내가 혼을 내면 몸으로 밀어붙이려고 용을 쓴다.

아직은 저학년이라 힘을 감당할 수 있지만 나중에 커서도 저러면 내가 너무 힘들 것 같아 초반에 잡아보려고 애써봤지만, 소용이 없다.

또 전화벨이 울린다.

"엄마. 오빠가 욕 썼어!"

"왜? 너 또 오빠한테 뭐라고 했는데?"

"그냥 초콜릿 묻었다고 했어~"

"오빠 전화 바꿔줘. 주원아! 왜 동생한테 욕을 써?"

"말로 하라며?"

"말로 하라고 했지, 욕 쓰라고는 안 했잖아!"

"싫어. 고주아 말투 기분 나빠. 말투를 바꾸던가!"

나 참 어이가 없어서. 죽어도 자기가 잘못했다고는 안 한다.

점점 힘들어지는 아들 육아. 사춘기가 되면 아들이든 나든 둘 중 하나는 제 명에 못 살 것 같다.

갱년기가 이길까? 사춘기가 이길까?

누가 갱년기가 더 세다고 하긴 하던데 벌써 두려움이 밀려온다.

공주 싫어!

올해 초등학생이 되는 딸.

6세 때는 그렇게 치마만 입겠다고 하고 공주 옷 노래를 부르더니 이제는 공주가 싫단다.

아침에 비가 많이 와서 우산 쓰고 가라고 했더니,

"공주 우산 싫어! 싫다고!"

소리까지 지르며 공주에 치를 떤다.

어제부터 비가 와서 새 우산을 주문했지만, 내일쯤 도착할 것 같아 오늘 하루만 공주 우산 쓰고 가자고 하니 싫다고 악을 쓴다.

너의 취향은 한살 한살 먹을수록 계속 바뀌는구나. 나도 어렸을 땐 저랬겠지???

속에서 열불 나지만 어쩔 수 없지.

그냥 비 맞고 가라.

하루 비 맞는다고 어떻게 되는 거 아니니까.

오히려 추억이 생겨 더 좋을지도.

너의 꿈을 응원해!

유치원에서 그렸다며 한쪽 벽면에 붙여놓은 딸아이 그림.

팔은 안으로 굽는다고 내가 보기엔 너무 잘 그렸다.

그림에 소질이 있는 걸까?

지금은 꿈이 피아니스트란다.

처음엔 발명가가 돼서 엄마가 죽지 않는 기계를 발명할 거라고 하더니, 지금은 피아노학원 다니는 게 재미가 있는지 피아니스트가 되고 싶단다.

앞으로 얼마나 더 꿈이 바뀔지….

엄마는 항상 너의 꿈을 응원해.

네가 진정 원하고 행복할 수 있는 일을 하며 즐거운 인생 살기를 기도할게.

속은 자상한 오빠

요즘 매일 둘이 같이 학교에 간다. 엄마로서 그 모습을 보면 참 뿌듯하다. 오늘은 음식물 쓰레기를 버리려고 같이 나갔는데 주아가 핸드폰을 두고 왔단다. 오늘은 그냥 가자고 오빠도 엄마도 말했지만, 딸에겐 통하지 않았다.

친구 몇 명이 유치원에 핸드폰을 들고 다녀서 부러웠는지 통신사에 가입하지도 않은 핸드폰을 매일 유치원에 가지고 간다.

이미 등원 시간이 많이 지난 터라 화가 났지만, 아침부터 기분 상할까 봐 꾹 참았다.

오빠는 먼저 가버린다고 가버렸고, 주아는 이러지도 저러지도 못하다가 엄마에게 왔다.

"엄마 어떡해. 오빠만 가버려. 가야 하는데 핸드폰 가지고 가야 하는데."

"너 혼자 갈 수 있어."

"아니야! 나 혼자 못가! 엄마랑 갈 거야!"

'딸아! 엄마가 지금 갈 수 있는 몰골이 아니야~'

속으로 투덜대며 다시 집으로 들어가는데 오빠가 돌아왔다. 나도 주아도 안심이 되었다.

"주원아, 밑에서 조금만 기다려 줘. 금방 올게."

"응."

시크한 저 한마디. 역시 우리 아들 의리가 있다니까.

주아가 핸드폰을 가지고 집을 나오면서 까치발을 들고, 창문 밖으로 오빠가 있는지 본다.

"오빠 있다!"

오빠 있는 걸 확인한 주아는 군소리 없이 혼자 엘리베이터를 타고 내려갔다.

고맙다, 아들!

학교 가기 싫어

첫째는 별 무리 없이 어린이집도, 유치원도, 학교도 잘 다녔다. 그런데 둘째는 아기 때는 그리 순하더니 커가면서 엄마와 떨어지기 힘들어했다.

어린이집도 유치원도 심지어 학교 가는 것까지 엄마를 힘들게 했다.

초등입학한다고 그렇게 신난다고 할 때는 언제고 하루 다녀와서 가기 싫다고 울며불며 난리 치는 둘째. 달래도 보고 야단도 쳐보고 뭐 사준다고 꼬셔봐도 소용이 없다. 엄마가 보고 싶어 학교에 갈 수가 없단다. 딸아~ 엄마도 일하러 가야 한단다. 제발 나 좀 살려다오.

매일 울면서 집을 나서는 아이. 어떤 날은 가다가 다시 집으로 돌아오기도 했다. 이유는 엄마랑 있고 싶어서란다.

너무 어릴 때 내가 아이를 떼놓고 일을 해서인지 둘째는 유난히 엄마바라기이다. 외출할 때도 데리고 가라고 울며 매달리는 아이가 안쓰러워 항상 데리고 다녔다. 심지어 아빠가 집에 있는데도 나랑 떨어지지 못해 힘들어하는 아이였다.

매몰차게 뿌리치지 못하고, 안되는 건 안 된다고 단호하게 하지 못한 내 탓이라고 스스로 채찍질했다.

힘들었지만 시간이 해결해 줄 거라 믿으며 어떤 날은 화를 잔뜩 내고 어떤 날은 살살 달래며 등원 전쟁을 치르다 보니 이젠 말하지 않아도 시간이 되면 스스로 학교에 간다. 요즘은 학교 가는 게 너무 즐겁단다. 역시 육아는 시간이 해결해 주는 부분도 많다. 조급할 필요 없는데도 계속 내 마음이 분주해서 아이를 궁지에 몰아넣고 빨리빨리 하기를 원한 것 같다. 육아는 기다림이 필요하다. 기다림의 연속이다. 잊지 말자!

It's free!

애들이 어릴 때는 주말이면 무조건 외출했다. 집에 있으면 아무래도 텔레비전을 많이 보게 돼서 그 꼴이 보기 싫어 눈만 뜨면 대충 아침 먹고 집을 나섰다.

그때는 키즈카페가 한창 유행하던 때라 주말이면 거의 한번은 갔던 것 같다. 아이가 하나였을 때는 비용이 그리 많이 든다는 생각이 들지 않았지만 둘을 데리고 가는 순간 '이건 아니다.'라는 생각이 들었다.

그래서 여기저기 검색하다 보니 도서관이나 박물관, 미술관, 수눌음 육아 나눔터 등 무료로 해주는 프로그램들이 많다는 걸 알게 되었다. 바로 이거구나. 누구보다 빠르게 클릭하지 않으면 참여할 수 없는 아쉬움이 있지만 최대한 내가 할 수 있는 여러 프로그램에 참여했다.

무료에다가 아이들도 재밌어하고, 주말 시간을 알차게 보낼 수 있어서 엄마는 너무 기분이 좋았지만, 아이들이 머리가 크면서부터 시시하다, 재미없다는 핑계로 더이상 이런 프로그램에 참여하기를 거부했다.

집에서 TV 보고 핸드폰 가지고 노는 게 더 재미있단다.

애미 속은 문드러지고 저것들을 쥐어패고 싶지만 인정해 줄 수밖에.

점점 집돌이 집순이가 되어가는 우리 아이들. 누가 좀 말려줘요!

축구

집돌이가 되어가는 우리 아들을 밖으로 끌어낸 건 축구였다. 월드컵을 계기로 아들은 축구에 푹 빠졌다.

친구들과 만나 운동장에서 축구하고, TV로 축구 중계를 봤다. 그래, 흔한 남매나 뚜식이 이런 프로보다는 축구가 낫다며 내 마음을 다스렸다.

근데 문제가 생겼다. 축구 선수가 되고 싶단다. 분명히 우리가 볼 때는 재능이 그다지 없다. 미안하지만 엄마의 DNA를 물려받아 운동신경이 없다.

유소년 FC를 다니고 싶다 하여 주말마다 다니고는 있지만 확실히 재능은 없다.

부모로서 재능이 없다는 말을 차마 입 밖으로 내뱉을 수 없어 축구와 관련된 많은 직업을 알려주려 노력했지만, 아들은 단호했다.

부모는 어디까지 정직해야 하는 걸까?

언젠가는 알게 되겠지?

이 꿈이 또 언제 바뀔지.

얼마 전까지는 탁구선수가 되고 싶다 했거늘.

이 또한 지나가리라.

친구

둘째는 여자아이라 그런지 친구 문제에 민감하다. 누가 나랑 노느니, 마느니 울었다가 웃었다가 감정이 포물선을 그린다.

엄마로서는 아이가 속상해하면 마음이 아프다. 어떤 상황이었는지 정확히 모르는 상태에서 조언해 주기도 어렵고, 막상 조언해 주어도 엄마는 누구 편이냐며 더 울기 일쑤다.

이것도 크고 있는 과정이겠거니 생각하며 시간이 약이겠지 하며 기다리는 중이다.

커갈수록 엄마보다 친구가 더 좋아지고, 엄마를 찾는 시간이 점점 줄어들고 있다. 계속 날 찾을 때는 그만 찾았으면 했는데 막상 엄마를 찾지 않고 친구랑 있는 걸 더 좋아하게 되니 시원섭섭하다. 조금씩 떠날 준비를 하는구나.

오빠 자판기

· 화 안 내는 오빠

· 양보하는 오빠

· 마음이 통하는 오빠

· 선물 주는 오빠

아빠에게

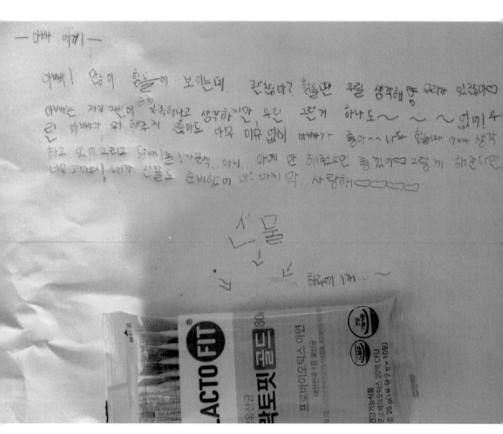

아빠! 많이 힘들어 보이는데 괜찮아? 힘들면 우릴 생각해! 우리가

있잖아♡ 아빠는 자기 자신이 조금 부족하다고 생각하지만, 우린 그

런 거 하나도 없어~ 우린 아빠가 뭐 해주지 않아도 아무 이유 없이 아

빠가 좋아~ 그리고 담배! 술! 가끔씩, 아니 아예 안 해 줬으면 좋겠어 ♡ 그렇게 해준다면 너무 고마워! 내가 선물도 준비했어. 아! 마지막 사랑해♡ ♡ ♡

많이 힘들어하는 아빠를 위해 딸이 쓴 편지.

나보다 낫네.

빨리 원래의 모습으로 돌아오길.

아빠의 웃는 모습을 보고 싶다는 아들의 말이 가슴 아프다.

행복이란 무엇일까?

열심히 산다고 사는데 자꾸 시련이 와서 행복이 행복인지도 모르고, 자꾸 나쁜 생각만 하게 된다.

이 또한 지나가리라. 빨리 지나가라.

갱년기

49세.

친정엄마는 내 나이에 갱년기가 왔다며 내게 항상 조심하라고 이야기하신다.

미리 몸에 좋은 거 챙겨 먹고 엄마처럼 고생하지 말란다.

아이들 키우느라 나를 돌아볼 여유가 없었는데 이제 좀 여유를 부려 보나 했더니 갱년기라니.

생리량도 줄고 입맛도 이상하고, 추웠다 더웠다를 반복하는 모든 증상이 갱년기 때문일까?

어떤 날은 짜증이 나서 평소 같으면 넘어갔을 일도 이런저런 트집을 잡으며 아이들과 남편을 잡아댄다. 가끔 내가 미친X이 아닌가? 하는 생각이 들 정도다.

정말 시작된 걸까? 마음을 다스려 보자.

갱년기 육아

다행히 아직 아이들이 사춘기 전이다. 하지만 이제 곧 첫째가 사춘기가 시작될 나이다.

누군가 갱년기와 사춘기가 맞붙어도 갱년기가 이긴다는데 언제 전쟁이 발발할지 일촉즉발의 순간이 다가오고 있다.

나의 갱년기와 아이들의 사춘기가 조용히 지나가길 바라며.

승리는 나의 것!

유튜버

딸이 잘 다니던 피아노학원을 그만두었다. 태권도 학원도 얼마 안 다녀서 그만두고, 그나마 피아노는 오래 다니겠거니 생각하고 있었는데 끈기가 부족한 걸까?

피아노는 1년 넘게 다니고 있는 터라 하나만이라도 열심히 해보자, 하는 순간 뒤통수를 맞았다. 더욱이 그 이유가 유튜버를 해야 해서 시간이 없단다. 이게 말이여? 방귀여?

기가 막혀 말이 나오지 않는다. 딸을 어르고 달래고 설득해 봐도 소용없다. 속이 뒤집어졌다. 침착하자. 갱년기 티 내지 말자며 워~워~를 속으로 외쳤다.

처음에는 재미로 피아노 치는 영상을 올렸다. 조회수도 제법 나왔는데 갑자기 슬라임 유튜버를 하겠단다.

그동안 올렸던 피아노 영상을 다 삭제하고 문구점에 있는 각종 슬라임을 사서 하나씩 영상을 올리기 시작했다. 엄마 속이 새까맣게 타 들어 가는 걸 알고는 있는지 매일 책상 위에서 슬라임 두들기는 소리가 경쾌하다.

옷에, 바닥에, 책상에 온통 슬라임 천지~

아직 개봉하지 않은 것까지 싹 다 휴지통에 처넣고 싶은 걸 겨우 참았다. 저게 다 피 같은 내 돈으로 산 것들이라 차마 버릴 수가 없었다. 버려도 또 살 게 분명하고, 그러면 또 내 피 같은 돈이 들어갈 게 뻔하니 내 손을 주머니에 꾹 찔러넣었다. 이 또한 지나가리라.

2학년 아이가 얼마나 영상을 잘 찍을까 기대감이 하나도 없어 유튜브를 볼 생각도 하지 않다가 어느 날 궁금해 검색해 보았다. 그런데 진짜 재능이 있는 건지 착각이 들 정도로 잘 만든 걸 보고 깜짝 놀랐다. 역시 나는 팔불출 엄마다.

애정 표현

둘째는 딸이라 그런지 어렸을 때부터 애정 표현을 자주 했다. 무뚝뚝한 엄마와 달리 애정 표현을 자주 해주는 딸아이에게 마음이 조금 더 갔던 건 사실이다. 나뿐만 아니라 남편도 아들과 딸을 대하는 온도 차이가 심하다.

일부러 그러려고 그러는 건 절대 아니다. 열 손가락 깨물어 어디 안 아픈 손가락이 있는가? 근데 있더라. 우리도 모르게 자꾸 딸에게 애정의 눈빛을 보내고 있었다. 가끔은 아들에게 미안하고 눈치가 보일 정도다.

아들도 눈치를 챘겠지? 아니 이제껏 알면서도 티를 내지 않았을 것이다. 아들은 나를 닮아 표현을 잘 못하는 성격이다.

요즘 아들의 행동이 이상하다. 올해 4학년이 된 아들이 부쩍 내게 와 안아달란 말을 자주 한다. 그 나이쯤 되면 애정 표현을 하다가도 안 할 나이 아닌가? 근데 굳이 인제 와서 왜? 이제라도 사랑받고 싶어서?

솔직히 아들이 커서 이제는 좀 징그럽다. 40kg 넘는 아들이 안아달라며 내 위로 올라오면 숨이 턱 막히고 부담스럽다. 안아달라 해서 마지못해 안아주긴 하지만 그동안 내가 너무했나 싶은 생각에 미안한 마음이 든다. 그래서 요즘은 내가 먼저 다가가 한 번 더 안아주고 사랑한다고 이야기하려고 노력하는 중이다. 무뚝뚝한 엄마 만나 고생이 많다. 먼저 다가와 표현해 줘서 정말 고맙고 사랑해! 앞으로 더 노력할게!

흔한 남매

우리 아이들이 즐겨보는 유튜브 프로그램.

뭐가 그리 재미있는지 본 걸 또 보면서 깔깔거린다.

우리 집에도 흔한 남매가 있다. 그 영상을 보면 딱 우리 집이다.

서로 디스하기 바쁘다. 못 잡아먹어서 안달이다. 나는 싸우는 소리가 듣기 싫어 싸우지 말라고 고래고래 소리를 지르고, 남편은 둘이 알아서 해결하게 두라고 참견하지 말라고 한다.

남편이 있을 때는 듣기 싫어도 참고 있지만 없는 날은 둘을 붙잡고 일장 잔소리를 늘어놓는다.

싸울 때는 피 터지게 싸우다가도 합이 맞을 때는 또 기가 막히게 합이 맞는다.

용돈, 게임, 숙제, 어지럽히기, TV 보기 등등 엄마가 싫어하는 모든 상황과 행동에 있어서는 서로 죽이 맞아도 너무 잘 맞는다. 화를 내다가도 어이가 없어 웃음이 픽 나온다. 그래 나를 웃게 해 줬으니, 오늘도 pass!

세상에 웃을 일 별로 없는데 너희들이 있어 오늘도 웃는다. 이게 행복이겠지?

핸드폰

손이 가요 손이 가~ 핸드폰에 손이 가요~

어른 손 아이 손 자꾸만 손이 가~

자기 손을 외계인 손이라며 자꾸 핸드폰을 잡는 아들. 분명 링크로 통제하고 있는데도 어찌 하루 종일 볼 수 있는 거지? 나 몰래 뭔가 하는 듯한데 나는 모른다.

엄마 속은 타들어 가고 목소리는 높아지고 다른 엄마들은 포기하고 살라는데 포기가 안 된다.

사실 따지고 보면 아이뿐만 아니라 엄마, 아빠 손도 외계인 손이다. 아이들 앞에서 최대한 핸드폰을 안 보려고 노력 중이지만 잘 안된다. 어떤 날은 책을 펼쳐놓고 핸드폰을 보다가 아이의 인기척이 느껴지면 재빠르게 핸드폰을 숨기고 책을 보기도 한다. 인생은 연기가 필요하다.

화이트데이

수제 캔디 가게에서 가위바위보 이벤트를 한다는 소식에 뭐에 홀린 듯 이끌려 가게로 갔다. 번호표를 받고 10시가 되기를 기다렸다. 이게 뭐라고 떨리는 거지?

내 차례가 되어 아이들 사탕을 고르고 계산대로 갔다. 근데 왜 아무도 가위바위보를 안 하는 거지? 사장님께 물으니 이야기하는 사람만 하는 거란다. 내가 처음으로 도전! 세 번 만에 겨우 이겼다. 커다란 이벤트 캔디 박스를 들고 기분 좋게 집으로 돌아왔다.

아이들에게 문자로 화이트데이 캔디를 준비했다며 사랑한다는 말과 함께 메시지를 남겼다.

퇴근해서 집에 오니 현관 앞에 선물 봉투가 놓여있었다. A4용지로 만든 봉투 안에는 편지와 함께 츄파춥스 사탕 한 개와 14,000원이 들어있었다. 사탕 선물 준 엄마에게 아이들도 선물을 주고 싶었단다.

이 맛에 육아하지!

고맙고, 사랑해!

보톡스

성형외과에 다니는 사람들을 혐오했다. 혐오까지는 아니지만 생긴 대로 살지 왜 그러는 건지 이해할 수 없었다. 내 얼굴이 맘에 드는 건 아니지만 부모님이 주신 모습 그대로 천천히 늙어가야 진정한 아름다움이라 생각했는데 어느 순간 바뀌었다.

딸아이가 친구 엄마들은 거의 다 30대이고 엄마가 제일 나이 많다고 속상해했다. 왜 자기를 늦게 낳냐며 우리 엄마도 나이가 어렸으면 좋겠다고 말했다.

그 말을 들으니, 마음이 아팠다. 거울을 보니 웬 쭈글쭈글한 아줌마가 떡하니 서 있었다. 일하느라 육아하느라 거울을 자세히 들여다볼 여유가 없었는데 오늘 보니 많이도 늙었다. 성형까지는 아니더라도 자글자글한 주름을 없애고 싶었다.

용기를 내 성형외과를 찾아갔다. 상담을 받으니 해야 할 게 많았다. 욕심 같아선 싹 다 뜯어고치고 싶었지만 우선 이마 보톡스만 맞기로 했다.

3~4일쯤 지나니 자글자글한 이마 주름이 펴졌다. 역시 돈이 좋은 거구나. 그 후에는 눈가도 같이 맞았다. 그 후에는 턱에도 맞았다. 이러다가 성형중독이 되는 건 아니겠지?

보톡스 덕분인지 어느 날 딸이 친구들이 엄마 30대처럼 보인다고 했다며 좋아했다. 그 말을 들으니 나도 내심 기분이 좋았다.

이놈의 자본주의 사회. 간사한 사람의 마음.

다음에 뭘 더 해볼까???

유전자 검사

난임 환자들이 많다 보니 요즘 뉴스에서는 시험관 이야기가 자주 들린다.

낳아보니 친자가 아니다, 병원에서 의사가 고의로 수정란을 바꿔 이식했다는 둥 이런저런 사건, 사고가 많은 모양이다.

나도 시험관을 통해 낳은 사람이라 그런 걱정을 했었다. 철저히 보관한다고는 하지만 사람이 하는 일이라 실수로 바뀔 가능성이 아예 없진 않을 것이다. 만약에 내게 그런 일이 생기더라도 키운 정 때문에 나중에 커서 알게 된다 해도 그냥 받아들일 생각이었다. 그러나 키우다 보니 영락없는 내 새끼다. 하는 짓도 생긴 것도 튀어나온 뱃살마저도 아들은 꼭 날 닮았다. 딸은 튼튼한 다리가 날 닮았다. 엄마, 아빠 좋은 점만 닮아서 나오라 기도했거늘 안 닮았으면 하는 유전자만 가지고 태어났다. 그래도 사랑해!

컵

대학 동기들과 처음으로 해외여행을 갔다.

기념으로 스타벅스에서 예쁜 컵을 사 왔다. 오랜만에 커피 좀 마시며 책을 읽고 있었는데 딸이 다가오다가 컵을 떨어뜨렸다. 내가 얼마나 아끼는 컵인 줄 알기에 딸의 몸이 굳어버렸다. 바닥에 떨어지면서 손잡이가 떨어져 나갔다. 속에서 열불이 났다. 아이를 쥐잡듯 잡고 싶었지만 가쁜 숨을 몰아쉬며 심호흡했다. 왔다 갔다 할 때부터 뭔가 불안했는데 기어이 일이 터지고 말았다. 입을 꾹 닫았다. 입을 열면 나도 모르게 아이에게 상처 줄 이야기만 한가득 뿜을 것 같아 조용히 컵을 치웠다.

심호흡을 계속했다. 컵 생각만 났다. 산 지 얼마 되지도 않은, 너무 아끼는 컵이 사라졌다. 일부러 한 건 아니니까 참자, 참자, 참자며 나를 다스렸다.

겨우 마음을 추스르고 책을 읽고 있는데 방문이 열리고 딸이 깨진 컵을 들고 왔다.

"엄마, 진짜 미안해. 내가 다시 고쳤어. 어때? 감쪽같지?"

딸이 너무 미안했는지 집에 있는 강력 본드로 손잡이를 다시 붙여 내게 가져왔다. 순간 화가 났던 내 마음이 너무 부끄러웠다. 어떻게 이런 생각을 했을까? 하는 찰나 앞이 캄캄해졌다. 본드를 어디서 칠했는지 바닥에 흘린 건 아닌지 걱정이 되기 시작했다. 아이가 등교하자마자 온 집을 헤집고 다녔다. 다행히 본드 자국은 보이지 않았다. 순수한 너의 마음을 온전히 받아주지 못하는 엄마를 용서해 다오. 그래도 너의 마음이 너무 예뻐서 엄마는 아주 많이 행복하단다.

결국 손잡이는 다시 떨어지고 이제 컵은 없지만 너의 그 수고로움을 절대 잊지 않을게.

선물

막냇동생이 신혼여행을 하고 오면서 엄마에게 명품 가방을 선물했다. 그 가방을 보며 내가 부럽다고 하니 딸이 하는 말.

"엄마, 내가 나중에 이 세상에서 제일 비싼 프랑스 가방 사줄게. 그리고 제일 큰 다이아몬드 반지도 사줄게."

제발 그 마음 변치 말자.

전생

갑자기 아들이 전생 이야기를 꺼냈다.

"내가 전생에 엄마, 아빠를 고를 수 있었는데 한 집은 엄청 부자였고, 한 집은 지금 엄마, 아빠 집이었는데 지금 엄마, 아빠랑 살면 너무 행복할 것 같아서 지금 이 집에서 살고 있는 거야."

그 말을 들은 딸이 지지 않고,

"나도 엄청 부잣집에 갈 수 있었는데 여기 착한 엄마, 아빠가 있다고 해서 나도 여기로 온 거야."

진짜 고맙다 아들, 딸!

나이 많은 엄마

아이들이 크고 여유가 좀 생기자, 나 자신을 돌아볼 여유가 생겼다. 이제껏 이뤄놓은 것이 하나도 없는 것 같아 우울하다.

아이들 또래의 엄마, 아빠들은 젊고 좋은 직업에 이룬 것도 많아 보이는데 나만 나이가 많고 특별히 내세울 만한 것도 없는 것 같아 초라하게 느껴질 때가 많다. 이것도 갱년기 때문일까?

남들의 SNS를 보면서 이건 다 허상이라고, 보이는 게 전부가 아니라고 생각하면서도 어느새 침을 질질 흘리며 부러워하고 있다.

나이는 숫자에 불과하다지만 몸은 잊지 않고 나이에 맞게 변해가고 있다.

나이 많은 엄마라 미안하고, 더 노력해야지 하면서도 엉덩이는 늘 바닥에 붙어있다.

힘내자! 이겨내자!

시작은 미약하나 끝은 창대하리라!

남편

자기도 갱년기 같단다.

15년 이상 다닌 직장을 그만두고 싶단다. 그럼 우린 뭐 먹고 살아? 여보, 제발 그 말만은 하지 말아 달라고 이야기하고 싶었지만 차마 입 밖으로 내지 못했다. 얼마나 힘들었으면 그런 얘기를 했을지 그 마음을 알기에 눈물 먼저 나왔다.

"여보, 힘들면 그렇게 해도 돼. 다른 사람 말고 당신만 생각해."

라고, 말하면서도 '진짜 그만두면 어떡하지?' 하는 걱정으로 내 눈동자는 흔들렸다.

나보다 연하면서 같이 갱년기 오는 건 반칙이야!

아들 둘, 딸 하나

나의 갱년기도 육아도 현재 진행형이다.

큰아들(남편)도 작은아들도 딸도 잘 키워야 하는데 나의 갱년기가 자꾸 방해한다.

조금 있으면 사춘기라는 녀석도 들이닥칠 텐데 두렵다.

갱년기가 이긴다고는 하지만 어마어마한 폭풍우와 피바람이 몰아칠 생각에 벌써 긴장이 된다.

잘해 낼 수 있겠지?

갱년기도 사춘기도 이 또한 지나가는 것이기에, 지나고 나면 웃으며 말할 수 있는 그런 날이 반드시 올 거라 믿으며, 지랄 맞지만 덜 지랄 맞게 육아에 전념하기 위해 오늘도 노력 중이다.

손톱

4학년인 아들은 혼자서 손톱을 깎는다.

처음엔 어려워했지만, 몇 번 하다 보니 스스로 하겠다고 하여 신경 쓰지 않은 지 오래다.

초등학교 1학년이 되고 나서 손톱을 잘라주려고 손을 봤는데 손톱이 짧았다. 아들에게 물으니 심심해서 물어뜯었단다.

뭔가 불안했을까? 겉으로는 내색하지 않는 성격이라 내심 걱정이 되었다. 그 후로 몇 년 동안 자를 손톱이 없었다. 심지어 발톱도 없었다. 발톱까지 물어뜯은 것이다.

내가 볼 때는 그런 모습이 보이지 않아 언제 어디서 그러는 건지 도통 알 수가 없었다. 더군다나 코로나로 마스크를 끼고 있는 터라 물어뜯기가 힘들 법한데 너무 걱정되었다. 매번 그러지 말라고 얘기는 했지만 소용없었다. 심리 상담을 받아야 하나 심각하게 고민도 했었다. 학교 선생님과 상담하고 잘 관찰했지만, 딱히 이상한 점을 발견하지 못했다. 기다렸다. 1~2년 후, 이제 자를 손톱이 생겼다며 열 손가락을

퍼 보이며 웃어주는 아들. 다행이다. 아들의 손톱을 깎으며 속으로 내내 안도의 한숨을 내쉬었다.

　3학년 후반부터는 스스로 깎아 보겠다고 하여 그냥 두었다. 어설프긴 하지만 스스로 노력하는 모습이 귀엽기만 했다. 이제 조금씩 엄마 손을 떠나는구나.

수면 독립

1학년이 되고 침대를 갖고 싶다고 노래를 부르는 딸. 그러나 아직 혼자 자는 것이 어렵기에 혼자 잘 수 있으면 사준다고 하니 1학년 후반쯤 혼자 자기에 성공해서 침대를 사 줬다.

이제까지 패밀리 침대에 4명이 모여 자서 아이들의 발길질과 남편의 콧소리 때문에 잠다운 잠을 못 잤는데 '이제 둘이서만 자면 되겠구나' 생각하니, 기쁘면서도 섭섭한 감정이 오락가락 나를 흔들어 댔다.

침대가 오고 나는 딸과 남편은 아들과 첫날밤을 보냈다.

다음 날부터 아들은 혼자 잘 잤지만, 딸은 여전히 혼자 자면 무섭다고 안방으로 들어왔다. 엄마 손을 잡고 자야 잠이 온다고 혼자 자기를 거부했다. 안방의 싱글침대를 옮겨버려서 셋이 자기엔 침대가 좁아 아빠는 좋든 싫든 딸 방에 가서 자야 했다.

안방 침대에 누워 손을 꼭 잡고 잠이 들었다. 이제 가끔은 엄마 손이 없이도 잠을 잘 잔다. 그럴 때는 내가 먼저 아이 손을 잡고 잠을 잔다. 오히려 내가 아이 손이 없으면 잠이 잘 오지 않는다. '이제 조금 더 크면 엄마 손 없이 혼자서도 잘 자겠지?' 그 생각이 드니 막 섭섭해진다.
빨리 크지 말았으면 좋겠다. 아빠랑 자는 것보다 주아랑 자는 게 더
좋은 건 아빠한테 비밀!

질투쟁이

오빠 생일이라 일어나자마자 생일 축하 노래를 부르고 꼭 안아주며,

"태어나줘서 고마워."

라고 했더니, 딸이

"엄마! 난! 난?"

"당연히 우리 딸로 태어나줘서 고맙지."

"내가 오빠보다 엄마 더 사랑하는 거 알지? 이 세상에서 누가 제일 좋아? 당연히 나지?"

온갖 사랑과 관심을 다 받고 싶어 하는 우리 집 둘째.

대략 난감, 질문 사절!!!

오빠 열남

아침에 아들이 내게 오더니 이마를 만져보란다. 별로 뜨겁지 않다고 생각했는데 열을 재니 38도.

왜 아이가 아프면 내가 더 화가 나고 짜증이 나는 걸까? 아마도 계획대로 뭔가 할 수 없어서인 것 같다. 그래도 일부러 아픈 건 아니니까 티 내지 말자.

'날씨 추울 때 나가놀지 말라고 그렇게 이야기했거늘 말 안 들어 열났지?' 하며 한마디 하고 싶었지만, 용케 꾹 잘 참았다.

병원에 접수하고 돌아오는 길에 딸에게서 전화가 왔다. 내심 속으로 걱정이 되었다. 오빠 학교 안 간다고 자기도 안 간다고 하려는 걸까? 그런 일이 한두 번이 아니어서 이번에도 의심이 들었다.

"엄마, 어디야?"

"이제 주차하려고. 왜?"

"엄마, 나 이제 학교 가. 사랑해."

"엄마도 사랑해. 잘 다녀와."

얼마 전까지만 해도 학교 안 가겠다고 난리 치던 딸의 모습은 온데 간데없다. 엄마는 고맙고, 고맙고, 또 고맙다.

걷기

꽃샘추위가 끝났나 보다. 오늘따라 유난히 날씨가 따뜻하다.

날씨가 좋은데도 우리 집 아이들은 나가 놀 생각을 하지 않는다. 오늘도 집에서 미디어 파티가 한창이다. 이대로 집에 셋이 있다가는 내가 폭발할 것 같아 집을 나섰다.

비 예보가 있어서인지 날씨가 따뜻하다 못해 더웠다.

봄은 어김없이 찾아오고 나는 나이를 먹는구나. 이제는 봄이 오는 게 달갑지 않지만 그래도 예쁜 꽃들을 보니 기분은 좋다.

어릴 때 살았던 동네를 걸으며 옛 추억에 빠져본다. 많이 변해버린 그곳에서 찾으려야 찾을 수 없는 한 조각 추억거리라도 찾으려 애를 썼다. 골목이 보였다. 내가 다니던 그 골목. 봄이면 하얀 꽃이 가득했던 곳이었는데 지금은 없다. 그 꽃이 그립다.

긴 머리

어릴 땐 엄마의 취향대로 머리 스타일을 할 수 있었지만, 이제는 컸다고 엄마의 의견은 중요하지 않다.

긴 머리를 찰랑이는 건 좋지만 먹을 때는 제발 좀 묶었으면 좋겠는데 싫단다.

국과 반찬에 빠지는 머리카락을 보면 가위로 싹둑 자르고 싶은 심정이다.

오늘도 가래떡 찍어 먹으라고 준 꿀에 머리카락이 닿았다. 으악! 참으려 했지만, 싫은 소리가 나와 버렸다.

"먹을 땐 머리 좀 묶으라고!!!"

나도 모르게 소리를 꽥 질러 버렸다. 살살 말해도 되는데 잘 안된다.

"엄마는 왜 소리를 지르고 그래!"

속에서 열불이 났다. 잔소리 더 하기 전에 얼른 방으로 들어와 심호흡했다.

대드는 딸년이 더 밉다.

반성

　드라마를 보다가 눈물이 났다.

　4번의 유산 끝에 힘들게 낳은 아이가 사라졌다. 한참 헤매다 만난 아이는 교통사고로 위급한 상태였고 수술했으나 가능성이 희박했다. 뇌사상태가 되어버린 아이. 그 아이를 놓아줄 수 없어 목 놓아 우는 엄마의 마음이 느껴져 너무 마음이 아팠다. 아이의 외할머니는 딸이 힘들어하는 모습을 차마 두고 볼 수 없어, 이제 아이를 보내주자고 얘기했다. 그 순간 주인공과 함께 내 마음도 무너져 내렸다.

　건강하게 내 옆에 있는 것만으로도 제 역할을 충분히 하는 아이들에게 나는 왜 계속 욕심을 부리는 걸까?

　오늘도 애미는 반성, 또 반성한다.

　존재만으로도 기쁨이 되는 우리 아이들.

　사랑한다. 사랑한다. 사랑한다.

행복

내가 얼마나 행복한 사람인지 자꾸 잊어버린다. 그렇게 바라던 아이가 둘 있고, 가족 모두 건강하고, 풍족하진 않지만 부족하지도 않게 지내고 있어 이만하면 충분하다.

내 머릿속에 지우개가 있나 보다.

신이 모든 이들을 돌봐줄 수 없어 엄마를 대신 보냈다는데 어째 난 그 반대인 것 같다. 애들이 오히려 날 더 성숙한 어른으로 만들어 주는 느낌이다. 아이와 함께 성장하는 나를 발견하며 오늘도 나는 행복 속에서 허우적거리는 중이다.

유죄

"엄마, 내가 경찰서에 잡혀가면 이유가 뭔지 알아?"

"몰라."

"그건 바로 내가 너~무 예쁘고 귀여워서!"

"예쁜 죄, 귀여운 죄로 잡혀간다고?"

"그럼! 난 너무 예쁘고 귀여우니까~"

아침부터 이게 다 무슨 소리인지.

자신감은 좋지만, 자만심은 NO! NO!

그래도 엄마 눈엔 우리 주아가 최고로 예뻐!

잔소리

아침부터 아들에게 잔소리 중이다.

먹은 것도 그 자리.

숙제한 것도 그 자리.

옷 벗은 것도 그 자리.

헨젤과 그레텔도 아니고 자기가 다니는 길에 꼭 뭔가를 흘리고 다닌다. 보기만 해도 화딱지가 난다. 엄마가 이야기하기 전에 하면 얼마나 좋을까? 매번 같은 얘기를 하고 또 하고 반복해도 매일 똑같은 일상이다.

오늘은 등교 시간이 다 되도록 TV 보다가 늦었다고 오히려 큰소리다. 내가 진작에 챙기라고 말한 걸 어느 귀로 듣고 어느 귀로 흘렸니?

반대로 생각하면 잔소리하지 않아도 조금만 기다리면 아니 조금 많이 기다리면 결국 해내는 아인데 엄마는 눈앞에 그걸 참지 못하고 그새 잔소리를 해대고 있다.

기다려 주자. 속에 천불이 나지만 평화로운 아침을 위해 오늘도 내가 참는 걸로!

우산

분명 차에 있는 줄 알았는데, 없다.

어디에 뒀는지 통 기억이 나지 않는다.

아이들이 우산 두고 오면 잘 챙기지 않았다고 잔소리를 해댔는데 정작 나도 어디에 뒀는지 기억 못 한다.

내 학창 시절에도 비가 오면 우산을 들고 나갔다가 비가 그치면 잊어버리고 학교에 두고 오거나 버스에 두고 내려 새로 산 적이 많았던 것 같다.

나도 그랬으면서 왜 아이들에게는 이리도 박하게 구는 건지. 나는 되고 아이들은 안 되는. 역시 내가 하면 무죄!

개구리가 올챙이 적 생각을 못 한다더니 내가 딱 그거다.

개구리야! 너도 올챙이 시절이 있었단다. 잊지 말자!

영어 공부

3학년이 되어 영어 과목이 생기면서 학원 다녀야 한다는 주변의 소리를 들었다. 나도 진작에 보내고 싶었지만, 아들이 거부했다. 엄마는 조바심이 났지만 억지로 보낼 수 없다는 걸 알기에 아주 가끔 이야기를 꺼낼 뿐 강요는 하지 않았다.

어느 날 갑자기 친구가 다니는 영어학원에 다니겠단다. 이 얼마나 기쁜 소리인지.

학원비가 만만치 않았지만, 아들이 공부하겠다는데 허리띠를 졸라맬 수밖에.

아들이 영어 공부를 시작하자 나도 영어 공부를 시작했다. 아들에게 노력하는 엄마로 모범을 보이고 싶어 아침마다 EBS 왕초보 영어를 시청 중이다.

축구 좋아하는 아들과 언젠가 손흥민을 보러 영국으로 날아갈 것이다.

그날을 위해 GO FOR IT!

딸이 있어야 하는 이유

TO. 엄마

엄마! 내가 엄마 딸이 된 거 엄마가 생각할 수 없을 만큼 기뻐♡ 내가 엄마한테 부족하게 굴고 너무 부족한 거 같아 ㅠㅠ 내가 더 열심히 노력할게. 사랑해♡

-주아-

아빠 vs 아들

아들이 원하던 동물보호센터에 방문했는데 늦었다고 거절당했다. 아들의 표정이 안 좋다. 남편은 아들이 실망한 표정을 보고는 내게 애견 카페를 검색해 보라고 했다. 마침 가까운 곳에 아이들과 갈 수 있는 곳이 있어 방문했다.

거기 있는 예쁘고 귀여운 강아지들과 놀고 나서 기분이 풀린 아들.

다음 코스는 축구 보러 서귀포에!

주말에 스케줄을 짜다 보면 이상하게 큰아이 위주로 뭔가를 하게 된다.

서귀포에서 축구 경기를 직관하는데 하필이면 제주가 지고 말았다. 그때부터 또 심통이 난 아들. 씩씩거리다가 집에 오는 차 안에서 잠이 들었다. 늦은 시간이라 밥을 먹고 싶어 식당에 왔는데 아들이 내릴 생각을 안 했다. 그때부터 아빠와 삐걱거리기 시작했다. 내가 겨우 달래 식당에 들어오긴 했지만, 밥 먹는 태도가 불량하다. 보다 못한 남편이 뿔났다.

"하루 종일 너 하고 싶은 거 다 해 놓고, 마지막에는 다른 사람 기분까지 엉망으로 만들어! 나가! 먹지 마!"

아들이 그 말을 듣고도 꿈쩍도 안 하고 휴대폰을 보니 남편은 더 화가 났다.

"너 집에 들어오지 마! 꼴도 보기 싫으니까!"

하지 말아야 할 말까지 해 버린 남편. 내가 더 가슴이 철렁했다. 아들은 그 길로 울면서 나가버렸다. 따라 나가 차 타고 같이 가자고 얘기했지만 걸어서 오겠단다. 집까지 그리 멀지는 않지만 어두운 밤이라 걱정되었다. 이대로 진짜 안 들어오면 어쩌나 마음을 졸였다.

집에 도착하자마자, 들어오는 아들. 안도의 한숨이 나왔다.

오자마자 자기 방에 들어가 방문을 잠가버렸다. 오늘은 그냥 두자. 씻지 않고 자더라도 오늘은 참자. 내일은 아무렇지 않게 다시 얼굴 보자!

다음 날 아침, 아들이 울며 내게 왔다.

"엄마, 나 필요 없어?"

"그게 무슨 말이야?"

"나 없어져 버려?"

"아니야, 그런 말이 어딨어? 어제 아빠가 너 기분 맞춰준다고 하루 종일 노력했는데 마지막에 주원이가 차에서 내리지도 않고 밥도 제대로 안 먹어서 속상해서 그런 거야. 엄마 아빠한테 주원이 엄청 필요해. 그러니까 그런 생각 하지 마."

한참을 내 품에 안겨 울던 아들을 보니 마음이 아팠다.

남편, 네가 뭔데 내 아들 울려? 다시는 심한 말 하기 없기!

선택

"엄마, 나 엄마 닮아서 다리 뚱뚱한 거지? 다리 살 빼고 싶다. 이렇게 하면 다리 살 빠진대."

까치발을 들고 돌아다니는 딸의 모습이 귀엽다.

"엄마, 나 다리 어떻게 해? 친구들은 다 날씬한데 나만 뚱뚱해."

"주아야, 근데 얼굴 예쁜 게 좋아? 다리 날씬한 게 좋아?"

"얼굴 예쁜 거?"

"신은 다 주지 않아. 신이 둘 중 하나만 너에게 준 거란다. 둘 중에 선택하라고 하면?"

"얼굴 예쁜 거!"

"그럼 성공한 거지? 네가 원하는 거 가지고 태어났으니까."

날씬한 다리 유전자 주지 못해 미안.

태권도 학원

"엄마, 나 늦어서 학원 차 못 탔어."

"으이그, 뭐 하느라 늦었어. 일찍 좀 챙기지."

"학원 차량 선생님이 매일 전화해 주시는데 오늘은 전화가 없어서 깜빡했어. 생각해 보니까 오늘부터 차량 선생님 바뀌셔서 내 핸드폰 번호를 모르네."

"네가 시계 보고 시간 맞춰서 나갔어야지. 기다려 봐. 엄마가 전화해 볼게."

전화를 끊고 나서 후회했다. 다짜고짜 아이가 잘못했다는 말투로 구박하는 엄마. 그랬구나, 늦었구나 이 한마디가 왜 이리 어려울까? 오늘도 반성합니다.

누가 꽃이야?

나이가 드니 사진 찍는 것도 싫다. 사진 속 내 모습이 마음에 들지 않는다. 주름만 가득한 중년 아줌마.

꽃구경 가자는 지인을 따라나선 길에 인생 사진을 건졌다.

맘에 드는 사진을 아이들에게 보여 주었더니, 딸이 하는 말.

"엄마, 누가 꽃이야?"

딸의 립서비스에 기분이 좋아 웃음이 난다.

"고마워~"

"정말이야. 누가 꽃인지 구분이 안 돼."

아들은 사진을 보고도 아무 말이 없다.

역시 딸이 최고다. 평생 나 이쁘다고 해줘~

밤양갱

중독성 강한 노래. 요즘 이 노래에 푹 빠졌다. 나도 모르게 입에서 계속 이 노래가 나온다. 신곡을 아이들에게 배우는 엄마다.

딸이 이 노래를 피아노로 내 자랑 발표회에서 연주하겠다고 했다. 피아노 그만둔 지 좀 돼서 잘할 수 있을지 걱정되는 엄마와는 달리 딸은 천하태평이다. 일주일 전부터 하루에 30분씩 연습하자고 약속했는데 딸은 잊어버리고 슬라임 놀이에만 집중했다.

당장 오늘인데 딸의 연주가 맘에 들지 않았다. 몇 번을 계속 연주해도 틀린 부분은 계속 틀렸다. 딸과 나의 신경이 예민해졌다.

"진작에 연습 좀 하지."

잔소리를 더 하고 싶었지만 참았다. 한참 연습 중인데 아들이 문을 벌컥 열고 들어왔다.

"오빠, 노크도 없이 들어오면 어떡해. 나가~"

"나도 좀 듣자. 조용히 있을게."

"싫어. 혼자하고 싶어~ 나가! 나가란 말이야!"

"조용히 한다니까!"

둘이 싸우기 시작했다. 안 그래도 시끄러운 속에 불을 지피기 시작했다. 꾹 참고 아들을 설득했다.

"나가자, 아들. 주아가 혼자 하고 싶다잖아."

"나도 좀 들으면 안 돼? 있으면 어때서?"

"동생이 싫다잖아. 오늘은 주아 발표회 날이니까 들어주자."

"싫어. 조용히 한다고!"

"나가자니까! 나가!"

내 목소리는 크레센도가 되었다. 큰 소리에 기분이 나쁜 아들은 씩씩거렸다.

"나 학교 안 가!"

나를 협박하며 자기 방문을 쾅 닫았다.

나도 될 대로 되라는 식으로 아무 말도 하지 않았다. 이제 네가 학교에 가든 말든 상관하지 않겠어. 학교에 가라고 애원하지도 협박하지도 않기로 했다.

조금 있다가 아들이 안방 문을 열고 먹을 것을 달라고 했다. 자기가 원하는 건 잘도 요구하면서 진작 말 들었음 평화로운 아침을 맞을 수 있었는데 오늘도 살벌한 아침이었다.

한라도서관

예약 도서가 도착했다는 알림을 받고 길을 나섰다. 차를 타고 가려다 봄기운을 느끼고 싶어 걸어가기로 했다. 벚꽃잎 비가 장관이다. 떨어지는 꽃잎이 내 모습 같아 아쉽기만 하다. 이렇게 화려한 봄이 끝나가고 나이를 먹는다는 생각에 서글프다.

도서관 앞에 도착하여 문이 열리기를 기다리고 있었다. 멀리서 우리 아들만 한 아이가 무거운 가방을 낑낑대며 걸어오는 모습이 보였다. 어느 집 아들인지 주말 아침에 혼자서 도서관 오는 모습이 대견했다. 못내 부러웠다. 부러우면 지는 거라는 생각 할 틈도 없이 집에서 뒹굴뒹굴하고 있을 아들을 생각하니 난 이미 패배자다. 저 아이 부모는 어쩜 저리 잘 키웠을까?

오늘은 기필코 아이들을 데리고 도서관에 와야겠다.

유산

　전화기 너머로 들리는 엄마의 울음 섞인 목소리. 막냇동생 부부의 유산 소식을 전해 들었다.

　늦은 나이에 결혼해서. 임신까지 엄마가 얼마나 기뻐하셨는지 모른다. 나도 임신 소식을 듣고 고모가 될 생각에 건강하게 만나자고 들떠서 기도했는데 너무 마음이 아팠다.

　그 소식을 들으니 새삼 우리 아이들이 고맙고 또 고맙다. 10년 만에 내게 와 준 아이들이 있어 지금 내가 평범하게 살아갈 수 있다는 현실이 감사하고 또 감사하다.

　동생 내외가 얼마나 마음고생 중일지 뼈저리게 느껴지는 밤이다.

오늘도 안녕하신지요?

글쓰기 모임에서 공유해 주신 책 제목이다. 반쪽짜리 심장을 가지고 태어난 아이와의 경험담을 담은 에세이다. 책 소개 내용만 봐도 눈물이 쏟아졌다.

내가 아이를 갖기 위한 10년은 아무것도 아니었다는 생각에 숙연해졌다.

내가 가진 모든 것이 얼마나 소중한 것인지 잊고 사는 나에게 커다란 울림을 주었다.

항상 감사하며 살자.

언제 이렇게 컸누?

딸이 열이 나 병원에 다녀왔다. 빈속에 먹어도 된다는 약사 말에 열 때문에 힘들어하는 아이에게 약국서 약을 먹였다.

집에 와서 미음을 조금 먹자마자 아이가 토를 했다. 약 말고는 먹은 게 없어 많이 토하지는 않았지만, 괴로워 보였다. 아이를 두고 출근해야 하는 내 마음이 편치 않았다.

회사에 전화하고 오늘 하루 연차를 낼까? 고민했다. 내가 빠지면 다른 이들이 힘든 걸 알기에 이러지도 저러지도 못하고 고민만 하고 있었다.

"엄마, 꼭 회사 가야 해?"

난 아무런 대답도 할 수 없었다. 다른 사람들보다 내 아이가 먼저인 게 당연한데 내가 왜 이런 고민을 하고 있는지조차 화가 났다.

"엄마, 나 많이 걱정돼? 괜찮아. 나 혼자 있을 수 있어."

그 말에 안심이 되었다. 아이를 두고 회사에 가려니 마음이 쓰였지만, 나를 생각해 주는 아이의 마음이 느껴져 흐뭇했다.

아직 2학년이고 막내라 혼자 두는 게 걱정됐지만 언젠가는 혼자 있어야 하는 상황이 생길 테니, 아이가 단단히 마음먹었을 때 해보자고 마음먹고 출근했다.

몸은 회사에 있지만, 마음은 집에 있었다. 전화가 없는 걸 보니 잘 지내는 모양이다.

언제 이렇게 컸을까? 아픈 아이가, 그것도 혼자 집에 있을 수 있다니 고맙고, 또 미안하다.

대환장 파티

종량제에 버린 슬라임이 줄줄 샜다. 그것도 모른 채 현관까지 들고 간 나.

내가 간 길을 따라 슬라임 잔해들이 쭉 늘어섰다.

씩씩거리는 내 눈치를 살피며 딸이 닦았다.

"주아야, 놔둬. 엄마가 할게."

"아니야. 내가 도와주고 싶어."

"그냥 둬! 너 발이랑 손에 묻고 더 난리 났잖아! 내가 못 살아!"

나도 모르게 싫은 소리가 나왔다. 슬라임 치울 생각을 하니 눈앞이 캄캄했다. 물티슈로 닦고, 종이행주로 닦고, 닦아도 닦아도 자국이 남았다. 팔이 저렸다.

딸이 계속 내 눈치를 살피며 안절부절못했다. 다 치우고 나서 한숨 돌린 후 딸에게 말했다.

"주아 덕분에 거실 청소 깨끗이 했네."

"엄마, 미안해. 나 때문에."

"괜찮아. 다음부터는 잘 싸서 버리기!"

"엄마, 내가 진짜 미안해. 다음부터는 꼭 잘 싸서 버릴게."

너 때문에 못 살다가, 또 너 때문에 살게 되는 육아는 아이러니!

금연

"아빠, 담배 안 피우면 안 돼?"

담배가 11분의 생명을 빼앗아 간대. 그러면 아빠랑 나랑 만날 시간이 점점 줄어들잖아. 제발 소원이야!

딸이 애원해도 아빠는 요지부동이다. 다른 아빠들은 딸바보라 이런 소리 들으면 금방 끊는다는데 우리 집 아빠는 딸바보가 아니다. 그냥 바보다.

"엄마, 11분은 너무 하지 않아? 5분 해 주면 안 되나?"

엄마도 아빠 금연이 소원이었지만 20년째 이리 살고 있단다. 제발 딸의 간절한 소원이 이루어지길….

홍삼

올해 들어 너무 자주 아픈 아들을 위해 큰맘 먹고 홍삼을 샀다. 맛없다고, 먹기 싫다고 했지만, 항생제와 홍삼 중 선택하라며 반협박했다.

오늘 아침에도 홍삼을 먹으라고 꺼내놓고 화장실서 큰일을 보고 있는데 아들이 홍삼을 쏟았다며 문 앞에서 큰 소리로 얘기했다. 힘주다가 갑자기 부아가 치밀었다. 그게 얼마짜리인데 분명 딴짓하면서 먹다가 그랬을 거라고 단정 짓고 대충 마무리하고 화장실을 나왔다.

거실 탁자에 보이는 갈색 액체, 속으로 별로 안 흘렸다고 생각하고,

"그냥 닦으면 되지, 그게 화장실까지 와서 할 말이야!"

말하는 순간 카펫 위에 보이는 갈색 흔적.

먹은 것보다 흘린 게 더 많다는 생각이 든 순간,

"너 진짜 먹을 때 집중하고 먹어야지. 핸드폰 보고, TV 보면서 먹으니까 흘리지!"

하며 화를 내버렸다.

"엄마는 뭐 흘릴 때 없어? 왜 나한테만 그래!"

그 말을 듣는 순간 뜨끔했다. 그래 나도 흘릴 때 있지. 이게 뭐라고 내가 애를 잡고 있다.

조용히 물티슈로 카펫을 닦았다. 아들아, 미안하다. 다음부터는 조심해서 마시자!

진심

퇴근 후 집에 오니,

"엄마, 이게 문 앞에 있더라."

하며 건네주는 하얀 봉투. 우리 집 주소와 내 이름이 쓰여 있었다. 딱 봐도 딸의 글씨체이지만 모른 체 하고 봉투를 열었다.

TO. 사랑하는 엄마에게

엄마! 안녕하세요? 저 주아예요. 제가 갑자기 엄마가 생각나서 편지를 썼어요. 저는 항상 엄마와 함께 지내서 행복해요! 아무리 시간이 되돌아간다고 해도 저는 엄마의 아이가 되고 싶어요♡ 가끔씩 엄마랑 싸우고, 엄마가 저한테 삐쳐도 전 엄마를 사랑해요! 저도 엄마한테 화날 때도 있지만 전 그래도 엄마를 이만~~~~~~~~~~큼 사랑하는 거 알지요? 엄마는 저의 선물이에요! 세상 무엇과도 바꿀 수 없는 제 가장 소중한 보물이에요♡엄마가 어떤 모습이 되든 전 엄마를 버리지 않을 거예요. 비록 저는 태어났을 때 엄마는 제가 아무것도 못 하고 귀엽고 작은 줄만 알았지만 전 생각했어요. 제가 엄마한테 온 게 너무 좋다고요! 엄마가 셀 수 없을 만큼 전 엄마를 사랑해요♡ 전 항상 엄마 편이고 엄마 딸이에요! 다시 한번 무한랑해요♡

-주아-

읽고 나서 순간 눈물이 핑 돌았다. 이런 편지를 받은 나는 정말 행복한 엄마라고 생각했다. 그때까지는 모든 게 순조로웠다. 내가 무언가 발견하기 전까지는….

빨래를 정리하려고 소파로 다가가는 순간 카펫에 보이는 얼룩 덩어리. 순간 아차 싶었다. 만져보니 끈적끈적. 이건 분명 슬라임이다. 감동이 바사삭 부서졌다!

"너 이것 때문에 편지 쓴 거야?"

"아니야! 내가 진심으로 쓴 편지야. 너무해!"

"그럼 이건 뭐야? 엄마한테 말했어야지!"

"그거 슬라임 만들다가 쏟았어."

하며 자기 방으로 쪼르르 들어가는 아이.

손톱으로 긁으니, 물풀이 계속 콧물처럼 올라왔다. 한참을 긁어대도 빠질 기미가 보이지 않는다. 이게 너의 큰 그림이었니?

이젠 아이들의 진심을 믿지 못하는 엄마가 돼버렸다!!! 사건이 있으면 편지가 있고, 애교가 있고, 뭔가 은폐하려고 온갖 술수를 다 쓰는 아이들. 이제 시작이겠지?

진심을 진심으로 받아주지 못해 미안하지만, 너희도 양심 좀 있어봐라!!!

변기 뚫는 엄마

아들은 어릴 때부터 변비가 있더니 커서도 여전히 변비가 있다. 이삼일에 한 번 일을 보는데 그때마다 꼭 변기가 막힌다.

오늘이 그날인가보다. 화장실 들어가서 나올 생각을 안 한다.

"주원아, 뭐해?"

대답이 없다.

한참 후에 나와서는

"엄마, 변기가…. 밥 먹는데 미안."

미안할 줄 알아 다행이다. 내 나이 이제 50줄 다 됐는데 밥 먹는 도중에 아들 변기를 뚫어야 하겠냐? 나 밥 다 먹고 할 거야!

꾸역꾸역 밥을 입에 욱여넣고 질겅질겅 고기를 씹으며 비장하게 뚫어뻥을 들었다. 전쟁에 나가는 장수처럼 두 손으로 뚫어뻥을 치켜들었다가 세차게 내리치며 펌프질을 시작했다. 혹여나 변기 물이 튀지 않을까 최대한 조심하며 몇 번 펌프질 하고 물 내리기를 반복했더니 뻥 뚫렸다. 내 속도 뻥 뚫렸다. 아들아! 그 변비는 몇 살까지 가지고 갈 거

니??? 나 이제 변기 뚫기 싫어~~~

강아지 키우면 좋은 점

1. 귀엽다.

2. 점점 행복해진다.

3. 강아지를 싫어했던 사람도 좋아진다.

4. 엄마, 아빠의 돈도 그대로다.

5. 길 가던 사람도 좋아해 준다.

6. 말을 잘 들으면 자기 기분도 좋아진다.

7. 어디에 많이 안 가서 체력을 아낄 수 있다.

8. 자식들의 기분도 좋아진다.

9. 산책시킬 겸 운동도 하면 살이 빠질 수도 있다.

10. 기분이 안 좋을 때 강아지를 만지면 기분이 좋아진다.

11. 집돌이, 집순이들도 산책하라며 내보낼 수 있다.

12. 남편도 기분이 좋아진다.

13. 남편이 훈련을 잘 시키니 자기는 편하다.

14. 남편과 자식들이 더 이상 키우고 싶다고 안 한다.

15. 유튜브로 다른 걸 안 보고 개에 대한 좋은 것만 본다.

16. 자식들이 핸드폰(미디어)을 덜 본다.

17. 강아지 존재 자체로도 행복하다.

18. 엄마, 아빠 사랑해요.

19. 집에 들어오자마자 강아지를 보면 행복하다.

20. 힘들어도 강아지를 보며 힘을 낼 수 있다.

21. 아빠가 담배와 술을 줄일 수 있을 것 같다.

요즘 자나 깨나 강아지를 키우고 싶다고 난리다. 꿈에서도 강아지만 나온다고 하고 길 가는 강아지들을 넋 놓고 쳐다본다.

강아지를 키우고 싶은 이유를 100가지 적어오면 생각해 보겠다고 하니, 자기 방에 들어가서 써 온 21가지.

"엄마, 100가지는 너무 한 거 아니야?"

하며 우는 아들을 보니 마음이 아프다.

"주원아, 엄마도 주원이가 키우고 싶다고 해서 키우고 싶어. 하지만 엄마, 아빠가 준비가 안 됐어. 아파트에서 키우는 것도 그렇고, 이제 너희들 중고생 되면 강아지 돌볼 시간도 많이 없어. 현실적으로 무리야."

"뭐가 무리야, 그냥 키우면 되지. 엄마, 키우기 싫으니까 그러는 거잖아!"

하면서 더 크게 우는 아들.

나도 모르게 눈물이 났다. 아들이 하고 싶은 걸 해줄 수 없어 마음이 아프다. 눈 딱 감고 키울까도 생각했지만, 생명을 함부로 들이는 건 아니라는 생각에 이번만은 양보할 수 없었다.

내가 우는 모습을 보니, 아들이 내 눈물을 닦아주었다.

"주원아, 미안해. 엄마가 미안해."

"아니야, 엄마. 내가 더 미안해. 난 엄마만 있으면 돼."

그렇게 둘이 꼭 껴안고 한참을 울었다.

"엄마, 나중에 내가 커서 작은 개부터 키우다가 나중에는 골든 리트리버 키울 거야. 돈 많이 벌어서 마당도 넓은 집에서!"

"그래, 그때는 엄마가 열심히 지원해 줄게."

"엄마, 리트리버는 사료비 많이 든다니까 사료비 지원해 줘!"

"알았어. 엄마가 사료랑 간식 많이 사줄게!"

아들이 마음을 정리해서 다행이다. 정말 나중에는 우리 꼭 개 키우며 살자!

갱년기 vs 사춘기

갱년기도 사춘기도 이제부터 시작이다.

갱년기와 사춘기로 내가 지치지 않고 육아에 전념할 수 있기를….

초심을 잃지 않고, 이 아이들과 덜 부딪히고 건강하게 성장하기를 바란다.

다시 10년 후에 이 글을 보며 '그때는 그랬었지' 하며 추억할 수 있다면 더없이 행복할 것 같다.

앞으로 더 성숙할 나와 내 아이들의 모습을 기대하며 오늘도 갱년기 맘의 지랄 맞은 육아 분투기는 계속 진행 중이다.

지랄맞은 육아노트   내 생애 봄날은 간다

발 행 | 2024년 07월 31일
저 자 | 강미선
표지일러스트 | 고주아
디자인 | 오은정
인권표현검수 | 이지민
바른우리말검수 | 이지민
후원 | 제주특별자치도, 제주문화예술재단
주관 | 서귀포 오아시스
미디어에디터 | 최인서
작품편집, 에이전트 | 박산솔, 이정숙, 이선경
펴낸이 | 한건희
펴낸곳 | 주식회사 부크크
출판사등록 | 2014.07.15.(제2014-16호)
주 소 | 서울 금천구 가산디지털1로 119, SK트윈타워 A동 305호
전 화 | 1670 − 8316
이메일 | info@bookk.co.kr

ISBN | 979−11−410−9848−3

www.bookk.co.kr

2024 엄마의 활주로 '함께육아에세이'의 취지에 맞게 작가의 감정 표현과
아이의 언어 표현을 지키는 방향으로 교정 교열 하였습니다.

본 책은 강원교육모두체, 학교안심(확장)바른돋움체가 사용되었습니다.

본 책은 제주특별자치도와 제주문화예술재단의 후원을 받아 제작되었습니다.